अनुवाद का नया विमर्श

डॉ. श्रीनारायण समीर

लोकभारती प्रकाशन

लोकभारती प्रकाशन
पहली मंजिल, दरबारी बिल्डिंग, महात्मा गाँधी मार्ग
प्रयागराज-211 001
वेबसाइट : www.lokbhartiprakashan.com
ईमेल : info@lokbhartiprakashan.com
शाखाएँ : 1-बी, नेताजी सुभाष मार्ग, दरियागंज
नयी दिल्ली-110 002
अशोक राजपथ, साइंस कॉलेज के सामने
पटना-800 006 (बिहार)
36-ए, शेक्सपियर सरणी
कोलकाता-700 017 (प. बंगाल)

प्रथम संस्करण : 2020

जे.के. आर्ट प्रेस
प्रयागराज द्वारा मुद्रित

Anuvad Ka Naya Vimarsh
by Dr. Shreenarayan Sameer

ISBN : 978-81-943648-3-2

मूल्य : ₹ 400

मूर्द्धन्य कवि एवं अनुवाद मर्मज्ञ

श्री मदन कश्यप

को

सादर, सानुराग

अनुक्रम

आमुख

अनुवाद भाषिक अपरिचय के विरुद्ध परिचय का हेतु और संवाद का सेतु है। यह दो भाषाओं के बीच ज्ञान की आवाजाही का कर्म है। इस सेतु-कर्म की परिणति ज्ञान-समाज के निर्माण में होती है। ज्ञान-बल (Knowledge Power) के जमाने में ज्ञान-समाज के निर्माण का कर्म गलित मान्यताओं के नकार, गतानुगतिक रूढ़ियों के प्रतिकार तथा प्रतिगामी सोच से प्रस्थान का प्रगतिशील कर्म है। अनुवाद की प्रगतिशील भूमिका ज्ञान के प्रसार के जरिये सामाजिक जड़ता को तोड़ने तथा परम्परावादी, कट्टर एवं बन्द समाजों में प्रगति और विकास की चेतना जगाने में भी देखी जानी चाहिए। इस दृष्टि से यह कहना उचित होगा कि अनुवाद स्वभाव से परिवर्तनकारी होता है। अनुवाद की परिवर्तनकारिता उसे आधुनिक विमर्श के रूप में प्रतिष्ठित करती है।

आज के जमाने में प्रगति और विकास की कुंजी आविष्कार एवं नवाचार हैं। आविष्कार एवं नवाचार की उद्‌भावना अपनी भाषा में होती है। किन्तु भारत में इनकी (आविष्कार एवं नवाचार की) भाषा हमारी अपनी भाषाएँ नहीं हैं। अंग्रेजी है। इससे प्रगति और विकास की हमारी मौलिक उद्‌भावनाओं एवं अनुवर्ती कार्रवाइयों को भाषा के मोर्चे पर आघात झेलना पड़ता है। भारत में ज्ञान समाज के निर्माण के लिए यह स्थिति चिन्ताकारी है।

सभ्यताओं में संघर्ष के मौजूदा दौर में अनुवाद की सफलता संवाद का माध्यम बनकर संघर्ष को रोकने और शान्ति तथा सद्‌भाव कायम करने में परवान चढ़ रही है। किन्तु अनुवाद को हमारी सभ्यता के लिए इतना महत्त्वपूर्ण कभी नहीं माना गया, जितना कि वह वास्तव में है। सच तो यह है कि अनुवाद हमारी सभ्यता का उन्नायक और विकास का वाहक है। बृहत्तर परिप्रेक्ष्य में अनुवाद सभ्यता संवाद है।

अनुवाद को सभ्यता संवाद मानना निश्चय ही अनुवाद को नये नजरिये से देखना है। प्रस्तुत पुस्तक इसी नजरिये की तर्करचना है। इसमें अनुवाद का वैभव, नवाचार की भाषा और अनुवाद, अनुवाद और भारतीय परिदृश्य, अनुवाद में सृजनशीलता, प्रशासनिक अनुवाद की चुनौतियाँ, पारिभाषिक अभिव्यक्ति और अनुवाद की रस्साकशी आदि के बहाने अनुवाद का एक मुकम्मल विमर्श रचने का प्रयास किया गया है। आशा है, अनुवाद के मर्मज्ञ विद्वानों एवं सुधी पाठकों को यह प्रयास पसन्द आयेगा।

इस पुस्तक के आलेख पिछले दिनों राजधानी नयी दिल्ली और विभिन्न प्रादेशिक राजधानियों में आयोजित राष्ट्रीय एवं अन्तरराष्ट्रीय सम्मेलनों तथा अकादमिक संगोष्ठियों में प्रस्तावना वक्तव्य के रूप में लिखे गये। अस्तु इनमें कहीं-कहीं कतिपय विचारों का दुहराव सम्भव है। तथापि प्रतिपाद्य और दृष्टि की ताजगी पूरी पुस्तक में यत्र-तत्र-सर्वत्र मिलेगी, ऐसा विश्वास है। इस पुस्तक के आलेख 'समकालीन भारतीय साहित्य', 'अनुवाद', 'इन्द्रप्रस्थ भारती', 'राजभाषा भारती', 'जनसत्ता' आदि में प्रकाशित हुए हैं। इसके लिए इन पत्र-पत्रिकाओं के सम्पादक मित्रों को हार्दिक धन्यवाद है।

इस पुस्तक को तैयार करने में मैं अपने सहकर्मी सुश्री आराधना एवं श्री सोनू के सहयोग का सदैव आभारी रहूँगा।

अन्त में मैं इस पुस्तक को प्रकाशित करने में तत्परता के लिए तथा सुरुचिपूर्ण मुद्रण के लिए राजकमल प्रकाशन समूह के प्रबन्ध निदेशक श्री अशोक जी महेश्वरी के प्रति हृदय से कृतज्ञता ज्ञापित करता हूँ।

–श्रीनारायण समीर

बुद्ध पूर्णिमा, 2019
नयी दिल्ली

अनुवाद का नया विमर्श

अनुवाद मनुष्य की रचनात्मक संवेदना का पुनराविष्कार है। अनुवाद में यह पुनराविष्कार किसी भाषिक सृजन का अनुसृजन के रूप में फलीभूत होता है। अनुवाद में यह पुनराविष्कार वस्तुतः उस सृजन-संवेदना और सरोकार का होता है, जिसके चलते कोई रचना न केवल अपने समय एवं समाज में; बल्कि अन्य भाषा-भाषी समाज और देशकाल में भी उपादेय तथा प्रासंगिक होती है। अनुवाद में सृजन का पुनराविष्कार दरअसल मनुष्य की उस विवेक चेतना का परिणाम होता है, जो स्वभाव से जिज्ञासु और ज्ञानपिपासु होती है। वैसे भी मनुष्य स्वभाव से जिज्ञासु होता है। उसका ज्ञानोन्मुख चित्त उसे सदैव जाग्रत और गतिमान रखता है। मनुष्य के इसी स्वभाव के चलते भाषा और अनुवाद का उद्भव हुआ तथा मानव सभ्यता का विकास हुआ।

सभ्यता के विकास में संवाद की महत्तर भूमिका रही है। संवाद अपरिचय और चुप रहने की जड़ता के विपरीत परिचय, आपसी बातचीत एवं प्रगति की राह पर आगे बढ़ने के लिए विचारों के परस्पर आदान-प्रदान का सहयोगी प्रयास होता है। सभ्यता के अभ्युदयकाल में, जब मानव-जीवन अपने प्रारम्भिक चरण में था और बेहद विषम परिस्थितियों एवं चुनौतियों से दो-चार था; किसी सुकून अथवा आखेट की तलाश में भटकते मानव-समूहों के बीच संवाद की भूमिका अत्यन्त आश्वस्तकारी, फलतः क्रान्तिकारी रही होगी। संवाद तब नाना प्रकार की कठिनाइयों एवं प्राकृतिक चुनौतियों से घिरे आदिम मनुष्य की असुरक्षा, आशंका, भय आदि मनोभावों का निवारक बनकर उसे सोचने, समझने एवं मिलजुल कर जीने और इस प्रकार से जीवन की मुश्किलों पर विजय पाने में सहायक बना होगा। यद्यपि संवाद के उस शुरुआती रूप में वाणी की भूमिका गौण और आदिम मनुष्य के आंगिक हाव-भाव एवं मनोभाव की भूमिका प्रमुख रही होगी। तथापि संवाद की वह शुरुआत निश्चय ही मनुष्य के मस्तिष्क से

निर्देशित एवं प्रेरित होने, बुद्धि की राह पर चलने और इस रूप में सभ्य बनने की शुरुआत थी। इस दृष्टि से संवाद को आदिम मानव के दुर्द्धर्ष जीवन में सभ्यता की आहट के रूप में देखा जाना चाहिए। आगे चलकर संवाद के आदिम आंगिक भाव और मनोभाव जैसे-जैसे वाणी में ढले होंगे, विचारों के भाषा में सम्प्रेषण तथा पुनर्सम्प्रेषण का सिलसिला चल निकला होगा। विचारों के उन्हीं भाषिक सम्प्रेषण तथा पुनर्सम्प्रेषण से अनुवाद का विकास हुआ। अतः यह कहना अतिशयोक्ति नहीं है कि अनुवाद अपने सरोकार और विमर्श में सभ्यता संवाद है।

हालाँकि संवाद की शुरुआती भूमिका बेहद सीमित और कामचलाऊ रही होगी। फिर भी संवाद से आदि मानव के हिंस्र स्वभाव के शमन में और सहज स्वभाव के विकास में निश्चय ही लाभ मिला होगा। यही संवाद आगे चलकर अलग-अलग इलाकों और अंचलों में रह रहे परस्पर अपरिचित मानव समूहों के बीच विचारों एवं मनोभावों के आदान-प्रदान का माध्यम बना होगा। अनुमान है कि तब संवाद का स्वरूप महज कुछ ध्वनियों और संकेतों तक सीमित रहा होगा। भाषा के विकास से पहले संवाद का अस्तित्व कदाचित् कुछ ध्वनियों तथा देहभाषा (Body language) के माध्यम से मनोभावों की अभिव्यक्ति तक सीमित रहा होगा। संवाद के इसी सीमित और प्राथमिक स्वरूप से अनुवाद का आविर्भाव माना जाना चाहिए।

वैसे अनुवाद अपने अभिप्राय तथा सरोकार में संवाद ही होता है। संवाद में आमतौर पर दो या दो से अधिक व्यक्तियों या समूहों के बीच किसी बात अथवा विषय को लेकर विचारों का आदान-प्रदान होता है। अनुवाद में यही कार्य दो भाषाओं के बीच होता है। इसके अन्तर्गत एक भाषा में निबद्ध ज्ञान को दूसरी भाषा में अन्तरित किया जाता है। दो भिन्न भाषाभाषी समाजों के बीच किसी सूचना या ज्ञान का आदान-प्रदान अथवा विचारों का विनिमय अनुवाद रूपी संवाद के माध्यम से ही सम्भव होता है। इसलिए अनुवाद आज के ज्ञान-समाज में और सूचना-विस्फोट के दौर में समय के साथ कदमताल करने के लिए निहायत जरूरी हो गया है।

भाषा-विकास की वैज्ञानिक अवधारणा के अनुसार मनुष्य में मनोभावों की अभिव्यक्ति की अकुलाहट के परिणामस्वरूप भाषा का उद्भव हुआ। इससे विचारों का सम्प्रेषण सुगम हुआ और मानव-समूहों के बीच एक दूसरे

के विचारों, भावनाओं आदि का आदान-प्रदान आसान हुआ। अकारण नहीं भाषा और समाज परस्पर नाभिनालबद्ध होते हैं। भाषा में उसके वक्ता समाज का आचार-विचार, चिन्तन-मनन, सांस्कृतिक मूल्य और दर्शन, भौगोलिक परिवेश, जलवायु एवं मौसम आदि का प्रभाव स्पष्ट तथा गहरा होता है। भाषाओं की स्वायत्तता एवं पारस्परिक भिन्नता का कारण भी यही है। अतः भाषाओं का उद्भव के साथ ही विविधतापूर्ण विकास स्वाभाविक है।

भाषाओं के विविध संसार में, विभिन्न भाषाभाषियों के बीच आपसी संवाद के लिए तथा विचारों एवं मनोभावों के आदान-प्रदान के लिए अनुवाद हमारी निर्विकल्प जरूरत है। मानव सभ्यता के आदिकाल में, जब आदमी अलग-अलग समूहों में रहता था और एक समूह की बोली-बानी दूसरे समूह से बिल्कुल भिन्न रही होगी, तब आपसी संवाद की जरूरत बेतरह और बेइन्तहा महसूस की गयी होगी। नतीजे में दो भाषाभाषियों के बीच विचारों के आदान-प्रदान का सिलसिला शुरू हुआ होगा। यह सिलसिला जैसे-जैसे आगे बढ़ा होगा, भाषाओं में आपसदारी और अन्तरण का कार्य आरम्भ हुआ होगा। अनुमान है कि अनुवाद की शुरुआत इसी तरह से हुई होगी। हालाँकि शुरू-शुरू में अनुवाद बेहद अनगढ़ तथा वर्तमान स्वरूप से भिन्न कुछ और ही रूप में रहा होगा। तब शायद मनुष्य में अनुवाद का बोध भी नहीं रहा होगा। किन्तु भिन्न भाषाभाषियों के बीच एक-दूसरे के मनोभावों को जानने-समझने के प्रयास जैसे-जैसे आगे बढ़े होंगे, अनुवाद का स्वरूप बनता और सँवरता गया होगा। अनुवाद के उद्भव और विकास से उसके आधुनिक स्वरूप तक की यात्रा दरअसल मनुष्य के मनोभावों के प्रकाश के निमित्त और उसे जानने-समझने के वास्ते किये गये उद्यम की यात्रा है। इसीलिए अनुवाद को भाषा-संवाद कहा जाता है।

सभ्यता के विकास की तरह भाषाओं के विकास में भी अनुवाद की भूमिका आपसदारी को सशक्त करते हुए आगे का मार्ग प्रशस्त करनेवाली रही है। अनुवाद का इतिहास मानव सभ्यता के इतिहास जितना ही आदिम एवं पुरातन है। अनुवाद हमारी सभ्यता के विकास के साथ शुरू होनेवाला आदिम पेशा है और अनुवादक आदिम पेशेवर। प्रख्यात भाषाविद् जैक देरिदा ने तो 'अनुवाद को दर्शन का उद्गम' माना है। उनके अनुसार—'The origin of philosophy is Translation or the thesis of translatability'.[1]

अनुवाद असल में भाषा का कर्म है और भाषा हमारी अभिव्यक्ति के माध्यम के रूप में अनुपम मानवीय आविष्कार है। भाषा, व्यक्ति की गहन अनुभूति की अकुलाहट में कण्ठ-ध्वनियों के रूप में गूँजित एवं अनुगूँजित होकर समाज में पल्लवित और परिष्कृत होती है। हमारी सभ्यता मानव समूहों के आपसी संघर्ष और समझौते से विकसित होती हुई आज जिस मुकाम पर है, उसमें भाषा का अवदान सर्वोपरि है और यह सम्भव हुआ है अनुवाद के माध्यम से। अनुवाद हमारी बहुभाषी दुनिया में ज्ञान के आदान-प्रदान का अप्रतिम माध्यम है। किसी भाषा में आबद्ध ज्ञान और अनुभूति को दूसरे भाषाभाषी समाजों तक ले जाने का कार्य अनुवाद के द्वारा सम्भव होता है। अनुवाद से भाषाओं का न केवल विषय-विस्तार होता है, बल्कि उनमें अभिव्यक्तिगत व्यापकता तथा अनुभूतिगत गहनता भी आती है। किसी भाषा में अपने वक्ता समाज के अनुभव और ज्ञान से इतर अनुभव एवं ज्ञान जब अन्तरित होते हैं तो उसका दोहरा लाभ होता है। एक, उससे पूरे भाषिक समाज का ज्ञानोन्नयन होता है और दूसरा, उससे भाषा का भी संवर्द्धन होता है। विज्ञान और मानविकी विषयों के अनुवाद एवं उसके प्रभाव से इसे समझा जा सकता है।

अनुवाद अपने स्वरूप और संरचना में किसी भाषिक सृजन का अनुसृजन होता है, जिसका परम लक्ष्य सृजन में अन्तर्निहित ज्ञान से दूसरे भाषा-भाषियों को सम्पन्न करते हुए एक सबल, समर्थ एवं विकसित ज्ञान-समाज का निर्माण करना है। ज्ञानबल (Knowledge Power) के जमाने में ज्ञान-समाज के निर्माण का कर्म निश्चय ही अन्ध आस्था और गतानुगतिक रूढ़ियों का प्रतिकार एवं प्रतिगामी सोच से प्रस्थान का प्रगतिशील कर्म है। अनुवाद की प्रगतिशील भूमिका ज्ञान के प्रसार के माध्यम से समाज की जड़ता को तोड़ने में देखी जानी चाहिए। इसे परम्परावादी, कट्टर एवं बन्द समाजों में प्रगति और विकास की चेतना जगाने में भी देखी जानी चाहिए। साथ ही अनुवाद की भूमिका को उदार विश्व व्यापार के मौजूदा दौर में देशों को दुनिया के बाजार में खुद को टिकाये रखने के लिए एक समर्थ माध्यम के रूप में और पारस्परिक हितों की रक्षा में भाषिक दीवार का भंजक औजार (Tool) के रूप में भी आँका जाना चाहिए।

वैसे यह दिलचस्प है कि अनुवाद अपनी संरचना में पारम्परिक, किन्तु स्वभाव और सरोकार में आधुनिक होता है। संरचना में पारम्परिक होने का मतलब है कि अनुवाद के अवयव या घटक तत्त्व हर हाल में एक समान,

अपरिवर्तनशील एवं यथावत् होते हैं। चाहे कोई भी देश हो या कोई भी काल, अनुवाद के तीन ही घटक तत्त्व होते हैं—(क) स्रोत भाषा (ख) स्रोत भाषा में रचा पाठ और (ग) लक्ष्यभाषा। चूँकि अनुवाद किसी भाषा-रचना की दूसरी भाषा में पुनर्रचना है, जिसमें पहली भाषा को स्रोतभाषा और दूसरी भाषा को लक्ष्यभाषा कहते हैं; इसलिए अनुवाद का पाठ चाहे कुछ भी हो और कैसा भी हो, एक वाक्य का लघुतम पाठ हो या कोई महाकाय ग्रन्थ, उसके घटक अवयव यथावत् रहते हैं। परन्तु अनुवाद के माध्यम से जो ज्ञान का प्रकाश फैलता है, उसका कोई मुकाबला नहीं होता। अनुवाद का सहारा यदि नहीं लिया गया होता तो ज्ञान, विज्ञान, विचार और दर्शन के क्षेत्र में मानव-समाज की अब तक की उपलब्धियों का पारस्परिक लाभ तथा उसका वैश्विक विस्तार सम्भव ही नहीं था। अतः यह कहना सर्वथा उचित है कि अनुवाद स्वभाव से परिवर्तनकारी होता है। अनुवाद की परिवर्तनकारिता अज्ञान के अन्धकार के विनाश तथा ज्ञान के प्रकाश के प्रसार में चरितार्थ होती है।

यद्यपि अनुवाद में रचना की अनुरचना मूलाधारित होती है, किन्तु भाषा का माध्यम बदल जाने से अनूदित रचना में शब्द एवं अर्थ के दूसरे आयाम भी जुड़ जाते हैं। इससे रचना की भिन्न प्रतीति का साक्षात्कार होता है। हालाँकि यह प्रतीति मूल रचना के विषय और शिल्प से सम्बद्ध होती है, किन्तु वह अपने पाठक समाज के मनोजगत् में हवा एवं पानी की तरह घुलमिल कर उसका मानसिक एवं वैचारिक उद्‌बोधन करने का काम करती है। एक श्रेष्ठ रचना मूल रूप में पढ़ी जाये अथवा अनुवाद के माध्यम से, हरहाल में उसका पाठक वैचारिक तौर पर वैसा ही नहीं रहता, जैसा उसे पढ़ने से पहले रहता है। ज्ञानवर्द्धन होता है। ज्ञान आदमी को बदल देता है। यह बदलाव विचार और व्यवहार दोनों स्तर पर आता है। इसी अर्थ में अनुवाद परिवर्तनकारी होता है।

कहना न होगा कि अनुवाद की परिवर्तनकारिता व्यापक और चिरस्थायी होती है। यह रचना के अर्थ तथा अभिप्राय के रूपान्तरण में तो क्रियाशील रहती ही है, जिसके चलते रचना की मूल भाषा से अनजान पाठक भी उसे अपनी भाषा में पढ़ और जान पाता है। साथ ही अनुवाद के माध्यम से ज्ञान का जो प्रसार होता है, उससे बदलाव का वातावरण तैयार होता है, यथास्थिति को बदलने का विवेक जाग्रत होता है और जीवन की सामान्य लय में मगन समाज में परिवर्तन की चेतना बलवती होती है। फलस्वरूप समाज बदलाव के रास्ते पर

अग्रसर होता है। इस अर्थ में अनुवाद परिर्वतन की चेतना के प्रसार का वाहक होता है। इस दृष्टि से अनुवाद अपनी अर्थवत्ता एवं अभिप्राय में क्रान्तिकारी होता है। क्रान्ति अपने आप में एक आधुनिक अवधारणा है। अनुवाद का क्रान्तिकारी अभिप्राय उसे आधुनिक विमर्श के रूप में प्रतिष्ठापित करता है।

आधुनिकता पुरातनपन्थी मान्यताओं एवं गतानुगतिक रूढ़ियों को अस्वीकार करते हुए बुद्धि तथा तर्क से जीवन की राहों को प्रशस्त करने की एक ऐसी अवधारणा है, जिसमें आस्थाजनित ढोंग और अन्धविश्वास के लिए कोई जगह नहीं होती। आधुनिकता का अभिप्राय ज्ञान और तर्क के सहारे व्यक्ति एवं समाज का समता और न्याय पर आधारित विकास तथा उत्थान की चाह और चेष्टा करना है। इस चाह और चेष्टा में अनुवाद की भूमिका ज्ञान को बढ़ावा देनेवाली, फलस्वरूप अन्यतम होती है।

अनुवाद भाषिक अपरिचय के विरुद्ध परिचय का हेतु एवं संवाद का सेतु है। अनुवाद प्रतिस्पर्द्धा के कोलाहल में वंचित का सम्बल, उपेक्षित का आलम्बन तथा अन्याय के विरुद्ध न्याय का अवलम्बन होता है। अनुवाद कमजोर का कवच और शहजोर के दर्प का उपचार होता है। अनुवाद विकास की दौड़ में पिछड़े समाजों का समर्थ सहारा होता है। द्वितीय विश्वयुद्ध में तबाह जर्मनी तथा इजराएल की विकासगाथा में अनुवाद की महती भूमिका को नजरअन्दाज करना कतई मुनासिब नहीं होगा। हालाँकि भूमण्डलीकरण, सूचनाक्रान्ति तथा बाजारवाद के मौजूदा दौर में अनुवाद मुनाफा कमाने का साधन भी बन गया है। अनुवाद का ऐसा बेजा इस्तेमाल विकसित देशों और कॉरपोरेट पूँजी के द्वारा दुनिया भर में अपना दबदबा कायम करने एवं अपने उत्पाद के माध्यम से बाजार पर कब्जा करने के रूप में हो रहा है।

सोवियत संघ के विघटन और भूमण्डलीकरण के बाद उभरी हमारी यह नयी दुनिया पूँजी के असमान विकास, शक्ति सम्पन्न राष्ट्रों के बीच विश्व-नियन्ता बनने की होड़ और आतंकवाद से बेतरह संकटग्रस्त है। ऐसे में विश्व शान्ति और विकास के लिए संवाद की निर्विवाद उपादेयता को सभी मानने लगे हैं और कहने की जरूरत नहीं कि हमारी बहुभाषी दुनिया में संवाद का एकमात्र माध्यम अनुवाद है। सभ्यताओं के बीच संघर्ष के इस उत्तरआधुनिक दौर में अनुवाद संवाद का माध्यम बनकर संघर्ष को रोकने और शान्ति बहाल करने में सफल भी हो रहा है। यह युद्ध के मुहाने पर खड़े देशों और

श्रेष्ठताबोध से ग्रसित राष्ट्रों में टकराव के बावजूद शान्ति, सद्भाव एवं प्रगति का वाहक भी बन रहा है। अतः अनुवाद को वैश्विक संकट के समाधान के एक कारगार उपाय के रूप में भी देखा जाना चाहिए। निश्चय ही अनुवाद की यह सर्वथा नयी भूमिका है, जो अब से पहले इतने व्यापक और प्रभावी रूप में कभी नहीं उद्घाटित हुई। अतएव उचित ही कहा गया है कि अनुवाद सभ्यता संवाद है।

अनुवाद ठेठ शब्दों में दो भाषाओं के बीच ज्ञान की आवाजाही का कर्म है। अनुवाद किसी भाषा में संचित ज्ञान से दूसरे भाषाभाषियों को परिचित कराने और इस तरह ज्ञान-समाज का निर्माण करने का कर्म है। किसी भाषिक ज्ञान के प्रकाश से दूसरी भाषा को प्रकाशवान बनाने का कार्य अनुवाद से ही सम्भव होता है। इसके द्वारा दूसरी भाषा यानी लक्ष्यभाषा का विषयगत संवर्द्धन होता है। साथ ही विषय के अनुरूप विशिष्ट पारिभाषिक शब्दों के निर्माण अथवा उन्हें दूसरी भाषा से ग्रहण करने के द्वारा लक्ष्यभाषा का अभिव्यक्तिगत संवर्द्धन भी होता है। इस दृष्टि से अनुवाद किसी भाषिक रचना की पुनर्रचना के द्वारा भाषा (लक्ष्यभाषा) का भी संवर्द्धन और उन्नयन करता है। राष्ट्रकवि एवं प्रसिद्ध अनुवादक रामधारी सिंह दिनकर ने भी अनुवाद से भाषा का संवर्द्धन होने की बात मानी है। उन्होंने अनुवाद को पुनःसृजन मानते हुए अपनी अनूदित कविताओं के संकलन 'सीपी और शंख' की भूमिका में लिखा है—

"भाषा की प्रच्छन्न सम्भावनाओं के सम्यक् विकास के लिए यह आवश्यक है कि कठोर चिन्तक मौलिक रूप से उस भाषा में चिन्तन करें अथवा अनुवाद के अखाड़े में वह भाषा अन्य भाषाओं के चिन्तकों के विचारों से टकरायी जाये। ऊँची-से-ऊँची और बारीक-से-बारीक अभिव्यक्तियों के लिए केवल चिन्तक को ही नहीं, भाषा को भी साधना तथा व्यायाम करना पड़ता है, यद्यपि भाषा की साधना और व्यायाम के माध्यम चिन्तक ही होते हैं।"[2]

अनुवाद हमारे बहुभाषी जगत् में मानव सर्जना की अनुपम अभिव्यक्तियों और अनुसन्धानों को सर्वसुलभ बनाने एवं उनके हासिल से पूरे विश्व को लाभान्वित करने का एकमात्र माध्यम है। संसार के महान् दार्शनिक विचारों एवं महान् वैज्ञानिक आविष्कारों और साहित्यिक रचनाओं के वैश्विक प्रसार में तथा नोबेल पुरस्कारों की वैश्विक स्वीकृति में अनुवाद की भूमिका एवं महत्ता को समझा जा सकता है। 'गीतांजलि' की वैश्विक पहुँच और स्वीकृति में अनुवाद

की भूमिका से भला कौन इनकार कर सकता है। हिन्दी के प्रखर कवि और अनुवादक विष्णु खरे अनुवाद के इस सामर्थ्य के प्रति इतने आश्वस्त थे कि अक्सर कहा करते थे, "मुक्तिबोध की चुनिन्दा कविताओं के साथ उनके पाँच या सात निबन्धों का अंग्रजी अनुवाद हो जाये तो पश्चिम उन्हें महान् कवि के साथ-साथ एक बड़े आलोचक के रूप में भी पहचानेगा।" इसी उद्देश्य से वे (विष्णु खरे) अपने जीवन के अन्तिम दिनों में रजा फाउण्डेशन के लिए मुक्तिबोध की कविताओं का अंग्रेजी अनुवाद करने में जी जान से लगे हुए थे।

अनुवाद सभ्यता का उन्नायक और विकास का वाहक भी होता है। अनुवाद यह महत् कार्य अपने संवादी स्वभाव एवं सर्जनात्मक व्यवहार से करता है। मानव सभ्यता आज जैसी है और विकास के जिस मुकाम पर है, वैसी हर्गिज नहीं होती अगर अनुवाद नहीं होता। ज्ञानबल (Knowledge Power) के आज के जमाने में अनुवाद पूरी दुनिया के लिए संवाद का अपरिहार्य माध्यम बन गया है। भूमण्डलीकरण और सूचनाक्रान्ति के चलते दुनिया इतनी छोटी हो गयी है और दुनिया के लोगों तथा देशों में पारस्परिक निर्भरता इतनी बढ़ गयी है कि बहुभाषी जगत् में विचारों के आदान-प्रदान के लिए अनुवाद अनिवार्य हो गया है। यह अनिवार्यता न सिर्फ दो भिन्न भाषाभाषी देशों में राजनीतिक, व्यापारिक, सामरिक और सांस्कृतिक सम्बन्धों के लिए है, बल्कि दो भिन्न भाषाभाषी सभ्यताओं, संस्कृतियों और समाजों की उपलब्धियों एवं अनुसन्धानों को जानने तथा उनसे परस्पर लाभान्वित होने के लिए भी है।

आज की विश्व बिरादरी में देशों के बीच आपसी सम्बन्ध मजबूत करने और व्यापारिक हितों को आगे बढ़ाने की आकांक्षा इतनी प्रबल है कि संवाद कायम करने में भाषा की अनभिज्ञता कोई समस्या नहीं बनती। अनुवाद ऐसी समस्याओं का कारगर समाधान है। विकसित देशों ने अनुवाद की इस ताकत को गहराई से समझा है और उसे अपने हित साधन का माध्यम बना लिया है। वे अनुवाद के सहारे अपने उत्पाद दुनियाभर में बेच रहे हैं और मुनाफा कमा रहे हैं। अकारण नहीं अमेरिका, जर्मनी और इजराएल जैसे विकसित देशों में अनुवाद का एक स्वतन्त्र शास्त्र के रूप में विकास किया गया है। इन देशों में अनुवाद को प्रौद्योगिकी से जोड़कर उसका उच्च अध्ययन और विश्लेषण किया जाने लगा है। ये देश अपने अनुसन्धान और विकास से 'रिअल टाइम ट्रान्सलेशन'

भी करने लगे हैं। इससे इन देशों के आर्थिक एवं वैज्ञानिक विकास को गति मिली है। भारत में भी कई सरकारी और स्वायत्त संस्थानों द्वारा कतिपय परियोजनाओं के माध्यम से इस दिशा में अनुसन्धान-कार्य हो रहे हैं।

अनुवाद को आमतौर पर किसी भाषा-रचना की अनुरचना कहा जाता है। इसमें रचना और अनुरचना शब्द विचारणीय हैं। कोई भी भाषा-रचना केवल शब्दों और वाक्यों का ही समुच्चय नहीं होती। वह अपने कथ्य, शिल्प, नाद-सौन्दर्य और अन्विति एवं प्रभाव में एक पूरी और मुकम्मिल अभिव्यक्ति होती है। भाषा में लेखन को रचना बनाने में उसके रचनाकार की कल्पनाशीलता और अभिव्यक्ति-कौशल का अवदान सर्वोपरि होता है। ऐसी रचना अपने विमर्श, जीवन-बोध और प्रभावान्विति के बल पर प्रत्येक देश और काल में प्रासंगिक होती है। ऐसी ही रचना सृजन कहलाती है। सृजन ही साहित्य है। किन्तु अनुवाद में सृजन चुनौती उपस्थित करता है। अनुवाद में यह चुनौती सृजन के शब्दों और वाक्यों से नहीं, बल्कि शब्दों में छिपे भाव और प्रभाव को लक्ष्यभाषा में हू-ब-हू अन्तरित नहीं कर पाने की मुश्किल के कारण उत्पन्न होती है। सृजन में शब्द, अर्थ, भाव, प्रभाव और नाद-सौन्दर्य तथा उनका जो वैभव होता है, उनका अन्तरण मुश्किल होता है। सृजन भाषा में कथ्य और भाव की ऐसी विरल एवं निगूढ़ अभिव्यंजना है, जिसका दूसरी भाषा में हू-ब-हू प्रतिस्थापन नहीं होता। इसलिए सृजन का अनुवाद चुनौतीपूर्ण होता है। इसी चुनौती से टकराने के क्रम में साहित्यिक कृतियों के कई-कई अनुवाद किये गये मिलते हैं। फिर भी इन अनुवादों में मूल जैसी समतुल्यता और समानुभूति नदारर हैं। उदाहरण के तौर पर प्रेमचन्द की प्रसिद्ध कहानी 'पंच परमेश्वर' का एक अंश और उसका (1) नंदिनी नोपानी एवं पी. लाल तथा (2) प्रकाशचन्द्र गुप्त द्वारा किया गया अनुवाद यहाँ प्रस्तुत हैः—

मूल पाठ : पंच परमेश्वर

आज मुझे विश्वास हो गया कि पंच की जुबान से खुदा बोलता है।

अलगू रोने लगे।

इस पानी से दोनों के दिलों का मैल धुल गया। मित्रता की मुरझाई हुई लता फिर से हरी हो गयी।

1. The Panchayat is the voice of God.

Today, I have realized that God speaks through the pachayat. Algu broke down and wept. The tears washed away bitterness in the hearts of both.

The faded creeper bursts again into leaf and flower.

—नन्दिनी नोपानी एवं पी. लाल

2. The Village Judge.

Today, I am convinced that God himself speak through the panch. Algu broke down. These tears washed away all the dust in their hearts. The languishing plant of friendship revived once again.

—प्रकाशचन्द्र गुप्त

तथापि सभ्यताओं के बीच संघर्ष के दौर में शान्ति, सद्भाव तथा परस्पर विकास के लिए और एक-दूसरे की ज्ञानोपलब्धि का लाभ उठाने के लिए अनुवाद हमारे समय में निहायत जरूरी हो गया है। सूचना-क्रान्ति और खुली बाजार-व्यवस्था में टिके रहने के लिए भी अनुवाद अनिवार्य हो गया है। इसलिए तमाम चुनौतियों के बावजूद आज जितनी व्यापक मात्रा में सुरुचि सम्पन्न अनुवाद हो रहे हैं, वैसा पहले कभी नहीं हुआ। ऐसा अनुवाद मूल पाठ को उसके शब्द, अर्थ, कथ्य और व्यंजना की ईकाई में नहीं, बल्कि सघन संवेदना एवं गहन अनुभूति के साथ समग्रता में ग्रहण करते हुए उसे दूसरी भाषा में फिर से सृजित करने के प्रयास के रूप में सम्भव हो रहा है। ऐसा अनुवाद संरचना और प्रभाव में सृजन का समानान्तर सृजन होता है। यह सृजन को उसके कथ्य और शिल्प, उसकी रमणीयता, अनुभूति की गहनता तथा सम्पूर्ण प्रभावान्विति के साथ लक्ष्यभाषा में रूपान्तरित करने का उपक्रम होता है। उदाहरण के लिएः—(क) Under its Laser Programme, Centre for Advanced Technology (CAT) Indore has developed laser technologies for applications in medicine, industry and research and development. The research facilities which have Come up recently include a pulsed Laser Deposition Facility for growing this films of wide band gap semiconductors and the facility for making ferroelectric oxide thin films.

उन्नत प्रौद्योगिकी केन्द्र (सी.ए.टी.) इन्दौर ने अपने लेजर कार्यक्रम के तहत स्वास्थ्य, उद्योग तथा अनुसंधान के लिए लेजर प्रौद्योगिकी विकसित की है। हाल ही में जिन अनुसंधान सुविधाओं का विकास हुआ है, उनमें प्लस्ड लेजर डिपोजीशन सुविधा शामिल है। इसमें वाइड बैंड गैप वाले सेमीकंडक्टरों पर महीन झिल्ली चढ़ाने की सुविधा है। फैरोइलेक्ट्रिक ऑक्साइड महीन झिल्ली बनाने की सुविधा भी इसमें है।

(ख) All personal ambition had died within him before he entered Dhaka in triumph in the closing phase of the war.

जब उसने विजय - दुंदुभि बजाते हुए ढाका में प्रवेश किया, उससे पहले ही उसके भीतर की वैयक्तिक महत्वाकांक्षाएँ दम तोड़ चुकी थीं।

(ग) Discover a new fairness, emerge gently and naturally.

—जगाइए एक नया निखार, कोमलता से, कुदरती तरीके से।

उपर्युक्त के आलोक में कहा जा सकता है कि अनुवाद मूल रचना का दूसरी भाषा में पुनर्जीवन है। अंग्रेजी के बिम्बवादी कवि एजरा पाउण्ड ने भी अनुवाद को मूल रचना का साहित्यिक पुनर्जीवन (Literary resurrection) कहा है।

अनुवाद पर विचार करते हुए यहाँ यह बात अच्छी तरह से समझ लेनी चाहिए कि सृजन और अनुसृजन अथवा रचना और अनुरचना में एक बड़ा अन्तर सर्जक की आजादी और अनुवादक की सीमा से जुड़ा होता है। मूल रचनाकार को अपनी विषय-वस्तु के प्रतिपादन और शब्दों के चयन में पूरी आजादी होती है, जबकि अनुवादक को यह आजादी नहीं होती। उसे रचना में गुँथे रचनाकार के विचारों और भावों से बँधकर भाषान्तरण करना पड़ता है। शब्दों के चयन में भी अनुवादक को किसी प्रकार की खुली छूट नहीं होती। अधिक-से-अधिक उसे मूल रचना में प्रयुक्त शब्दों के निकटतम शब्दों को ही चुनना होता है।

अनुवाद में रचना के विन्यास और शिल्प के निर्वाह का प्रसंग भी प्रभावी होता है। मूल पाठ की लय और अभिव्यक्तिगत लालित्य का निर्वाह अच्छे अनुवाद की प्राथमिक शर्त होती है। रचना सौष्ठव, अनुभूतिगत गाम्भीर्य और प्रतिपाद्य में संयम का हू-ब-हू रूपान्तरण अनुवादकर्त्ता के लिए चुनौतीपूर्ण होता

है। चूँकि भाषा की इन लाक्षणिक विशेषताओं का दूसरी भाषा में हू-ब-हू रूपान्तरण दुष्कर होता है, इसलिए अनुवाद में निकटतम, स्वाभाविक और समतुल्य अन्तरण की प्रविधि अपनायी जाती है। अनुवाद में समतुल्यता की महिमा अकारण नहीं है। पाश्चात्य अनुवादविद् प्रो. जे. सी. कैटफोर्ड और यूजीन ए नाइडा का अनुवाद सिद्धान्त तो अनुवाद के मूल का निकटतम, स्वाभाविक एवं समतुल्य होने का सुविचारित तर्क रचने के चलते ही ख्यात है। नाइडा के शब्द हैं—

"Translating consists in producing in the receptor language the closest natural equivalent to the message of the source language, first in meaning and secondly in style."[3]

अर्थात् "अनुवाद का सम्बन्ध स्रोतभाषा के सन्देश का पहले अर्थ और फिर शैली के धरातल पर लक्ष्यभाषा में निकटतम, स्वाभाविक तथा समतुल्य पाठ रचने से है।"

किन्तु यह समतुल्यता कभी-कभी अनुवाद में बड़ा गड़बड़झाला उपस्थित करती है। भाषा में उपलब्ध शब्दों के अर्थ और उसकी व्याप्ति में बड़ा बारीक अन्तर होता है। सृजन में शब्दों का ठाट और उसका प्रभाव बड़े मायने रखते हैं। अनुवाद में सृजन के ऐसे ठाट और ललित पक्ष का निर्वाह करना प्रायः मुश्किल होता है। इसके लिए अनुवादक को सर्जक के रूप में खुद को ढालना जरूरी होता है। सृजन के बारीक पक्षों का अनुवाद में निर्वाह सर्जनात्मक प्रतिभा के द्वारा ही हो पाता है। इसलिए, मेरे विचार से अनुवादक को अनुवाद शुरू करने से पहले चित्रकार की भाँति विहंगम दृष्टि से लैस होने की आवश्यकता होती है, जिससे कि वह मूलकृति को परख सके और उसके सम्बन्ध में सर्वांगपूर्ण नजरिया बना सके। तभी कृति की अनुकृति उकेरने में सफलता मिलती है।

अनुवाद के प्रसंग में उत्तम और अधम का मामला भी बड़ा दिलचस्प होता है। उत्तम अनुवाद अपने सृजन और सरोकार में मूल रचना का प्रचारक और प्रसारक होता है। अच्छी कृति के अच्छे अनुवाद से समाज में ज्ञान और संवेदना का प्रसार होता है। उसके पाठक वर्ग के चिन्तन में परिष्कार आता है। भाषा की शुद्धता, कथन में समतुल्यता और संरचना में लालित्य और लयबद्धता अच्छे अनुवाद के गुण होते हैं। इसके लिए अनुवादकर्त्ता में मूल के प्रति सहृदय

सम्मान और उल्लसित सृजन-बोध का होना अपेक्षित होता है। श्रेष्ठ अनुवाद अनुवादकर्त्ता के ज्ञान का आलेखन और उसकी कारयित्री प्रतिभा का निदर्शन होता है, जिसमें सृजन का शृंगार अन्तर्भुक्त होता है और पाठक के बोध में परिष्कार की शक्ति निहित होती है। वैसे रचना में वाक्य-दर-वाक्य आबद्ध विचार, प्रवाह और लय बड़े महत्त्वपूर्ण होते हैं। अनुवाद रचना के इन महत्त्वपूर्ण पहलुओं से दूसरे भाषा-भाषी समाज को परिचित कराने का निर्विकल्प माध्यम है।

जाहिर है कि खराब अनुवाद अनर्थकारी होता है। खराब अनुवाद मूल रचना के विचार और भाव के प्रसार का बाधक होता है। खराब अनुवाद मूल रचना और उसके पाठक समुदाय दोनों का साझा शत्रु होता है। फिर भी, मूल रचना का अधूरा परिचय भी अज्ञान से अच्छा है। इस बारे में महान् कवि गेटे के विचार बड़े मार्के के हैं। गेटे ज्ञान के प्रसार में खराब अनुवाद को भी जरूरी समझते थे। उन्होंने अपने मित्र कार्लाइल को सम्बोधित पत्र में लिखा था—"अनुवाद की अपूर्णता के बारे में तुम चाहे कुछ भी कहो, पर सच्चाई यह है कि संसार के व्यावहारिक कार्यों के लिए उसका महत्त्व असाधारण और बहुमूल्य है।"[4]

अनुवाद की रमणीयता मूलपाठ के बोध अथवा साक्षात्कार में तथा स्वाभाविकता के निर्वाह में निहित होती है। अनुवाद अगर मूल रचना की लक्ष्यभाषा में पुनर्रचना है तो इस पुनर्रचना की सफलता मूल रचना के कथ्य, भाव और शिल्प के सहज और स्वाभाविक अन्तरण एवं प्रतीति में निहित होती है। हालाँकि भाषाओं में भिन्नता होने के कारण उत्तम-से-उत्तम अनुवाद भी मूल की प्रतिकृति या नकल नहीं होता। अनुवाद सर्जनात्मक भाषान्तरण होता है। ऐसा भाषान्तरण मूलाधारित होकर भी स्वायत्त होता है। अकारण नहीं अनुवाद की रमणीयता उसकी मूलवत् प्रतीति में नहीं, बल्कि लक्ष्यभाषा की स्वाभाविकता में एक स्वायत्त रचना का आभास देने में मानी जाती है। भाषागत भिन्नता की छाया में अनुसृजित अनुवाद की स्वायत्तता दरअसल मूल पाठ के भाषा-बन्धन से मुक्त होकर अपना स्वयं का रूपाकार ग्रहण करने में होती है। यह मुक्ति स्रोतभाषा की विशिष्ट संरचना एवं उसकी प्रकृति और संस्कृति से निर्मुक्त होने में भी होती है। ऐसे में अनुवाद की सफलता लक्ष्यभाषा के कलेवर में स्वाभाविक या कि मौलिक रचना की प्रतीति कराने में है न कि किसी रचना का नकल होने में। अनुवाद की यह मुक्ति-यात्रा भाषा-दर-भाषा बनी रहती है। इस यात्रा-क्रम में

अनुवाद प्रत्येक भाषा-कलेवर में उस भाषा का कुछ वैशिष्ट्य ग्रहण करता है और पहलेवाली भाषा का कतिपय वैशिष्ट्य त्याग देता है। अनुवाद में भाषा-वैशिष्ट्य के ग्रहण और त्याग का सिलसिला दरअसल उसे उस भाषा (लक्ष्यभाषा) की स्वाभाविक रचना बनाने के उद्देश्य से प्रेरित होता है। इस अर्थ में अनुवाद भाषा के जड़ बन्धन से कथन (पाठ) की मुक्ति का सर्जनात्मक अनुष्ठान है।

अनुवाद उस अभिनय की तरह होता है, जो अभिनेता का निजी और स्वानुभूत सत्य होकर भी सामाजिक आस्वाद के धरातल पर लोक के आनन्द एवं उन्नयन का कारण बनता है। यह सही है कि अभिनय और अभिनेता का अस्तित्व उस नाटक से जुड़ा होता है, जो नाटककार की कल्पना, संवेदना एवं अनुभूति की मौलिक अभिव्यक्ति होता है। फिर भी नाटक की सफलता उसकी अभिनेयता में छिपी होती है और इसका सारा दारोमदार अभिनेता की अभिनय कला एवं कौशल पर निर्भर करता है, जिसके बल पर कोई अभिनेता किसी चरित्र का अभिनय करते हुए अपने साथ भावक (दर्शक) को जोड़ पाता है और उसे आनन्द के ब्रह्मानन्द सहोदर का आस्वाद करा पाता है। अनुवाद में भी जब कोई रचना लक्ष्यभाषा के कलेवर में स्वाभाविक और रुचिर रूप में पुनः अवतरित होती है तो वह अपनी पठनीयता, जानकारी एवं आस्वाद से पाठक समाज का ज्ञानवर्द्धन करने के साथ-साथ आनन्दवर्द्धन भी करती है। निश्चय ही ऐसा अनुवाद किसी समर्थ अनुवादकर्त्ता के सर्जनशील मनोभाव और उसकी सधी लेखनी का कमाल होता है, जो उसकी अनुभूति, अनुवाद-कौशल तथा भाषाज्ञान का सम्मिलित प्रतिफल होता है। उमर खैयाम की रूबाइयों का फिट्जजेरॉल्ड कृत अंग्रेजी अनुवाद और बच्चन कृत हिन्दी अनुवाद इसी कोटि के उदाहरण हैं।

हालाँकि अनुवाद सृजन का अनुसृजन होकर भी सामान्य अनुसृजन नहीं है। यह मूल सृजन पर आधारित होकर भी अपने आप में नया होता है। अनुवाद में मूल का प्रतिपाद्य, भाषा-विवेक और अभिप्राय लक्ष्यभाषा के स्वभाव और शिल्प में ढलकर एक प्रकार से नवजीवन पाते हैं। यह नवजीवन असल में मूल रचना का दूसरी भाषा के कलेवर में पुनरोदय होता है। इस पुनरोदय में मूल रचना की शाब्दिक, आलंकारिक एवं सांस्कृतिक अभिव्यक्तियों तथा अर्थ छवियों का भाषान्तरण नहीं, वरन् भावान्तरण होता है।

अलबत्ता अनुवाद में भाषा-भेद के कारण मूल रचना लक्ष्यभाषा की सज-धज और अनुशासन में अवतरित होती है। मूल रचना का कथ्य और सन्देश लक्ष्यभाषा के कलेवर में अपने रूपाकार ग्रहण करते हैं। इस तरह अनुवाद में मूल रचना अपने परवर्ती जीवन में ढलकर नैरन्तर्य प्राप्त करती है। जर्मन चिन्तक वाल्टर बेंजामिन ने भी माना है कि अनुवाद स्रोतभाषा की रचना को लक्ष्यभाषा में जीवन प्रदान करता है। "अनुवाद मूल का उत्तर जीवन (afterlife) होता है— एक ऐसा उत्तर जीवन, जिसमें जीवन की शव-परीक्षा नहीं, बल्कि हू-ब-हू वही जीवन अन्य कलेवर में अवतरित होता है।" बेंजामिन लिखते हैं—

"For in its afterlife – which could not be called that if it were not a transformation and a renewal of something living – the original undergoes a change."[5]

बेंजामिन ने अनुवाद को एक गम्भीर सर्जनात्मक कर्म माना है और इसे सेंत-मेंत का काम समझने वालों को सबक देते हुए लिखा है:-

"Just as the manifestations of life are intimately connected with the phenomenon of life without being of importance to it, a translation issues from the original–not so much from its life as from its afterlife"[6]

अर्थात्, "जिस प्रकार जीवन की अभिव्यक्तियाँ बगैर अपनी महत्ता प्रतिपादित किये जीने की क्रिया के साथ अन्तरंग रूप से जुड़ी होती हैं, उसी प्रकार अनुवाद मूल से अग्रसर होता – मूल के जीवन से उतना नहीं, जितना उसके उत्तर जीवन से।"

अनुवाद रचना के प्रतिपाद्य और अभिप्राय की सम्भावनाओं का लक्ष्यभाषा में चरम साक्षात्कार होता है। यह साक्षात्कार लक्ष्यभाषा के स्वभाव में समानान्तर सृजन के रूप में घटित होता है। समानान्तर सृजन ऐसा कि अगर मूल रचना की जानकारी न हो तो उसे कोई अनुवाद न माने। ऐसा अनुवाद अनुवादकर्त्ता की सर्जनात्मकता और मूल के प्रति निष्ठा का प्रतिफल होता है। ऐसा अनुवाद, अनुवाद होकर भी स्वायत्त सृजन होता है। हिन्दी में दिनकर, बच्चन, रघुवीर सहाय, धर्मवीर भारती और नीलाभ के द्वारा किये गये अंग्रेजी कृतियों के अनुवाद इसके उदाहरण हैं। उमर खैयाम की फारसी रूबाइयों के फिट्जजेरॉल्ड कृत अंग्रेजी अनुवाद तथा डी. एच. लॉरेन्स, लोर्का, रिल्के, एजरा पाउण्ड आदि

यूरोपीय कवियों की कविताओं के दिनकर कृत हिन्दी अनुवाद स्वायत्त सृजन के अन्यतम उदाहरण हैं।

वैसे अनुवाद में मूल रचना के प्रतिपाद्य और शैली की पुनर्रचना करने में भाषागत कारणों से मूल के अभिव्यक्तिगत वैशिष्ट्य, भाव और संवेदना की शत-प्रतिशत अनुरक्षा नहीं हो पाती। पुनर्रचना में रचना की सर्जनात्मकता का एक तरह से अतिक्रमण होता है। वैसे भी कोई रचना जब अपनी भाषा से इतर किसी दूसरी भाषा की संरचना-प्रणाली में अन्तरित होती है तो वह वही रचना नहीं रह जाती, जैसी अपने मूल रूप में होती है। अनुवाद की प्रक्रिया में भाषान्तरण पाठ का पुनर्सृजन होता है। यह लक्ष्यभाषा के स्वभाव तथा संस्कृति के अनुरूप होता है। स्वाभाविक है कि अनुवाद में मूल का काफी कुछ संसाधित (processed) होकर लक्ष्यभाषा में रूपायित होता है। किन्तु इस प्रक्रिया में रचना के दूसरी भाषा में जीवन्त रूप में आविर्भूत होने का मार्ग प्रशस्त होता है।

अनुवाद में मूल रचना के प्रतिपाद्य एवं अभिप्राय का सम्यक् रूपांकन रचना की सर्जनात्मक सम्भावनाओं का पुनराविष्कार होता है। अनुवाद का कर्म रचना को भाषा की सीमा से बाहर ले जाकर उसे दूसरी भाषा में नवजीवन प्रदान करने का कर्म है। यह रचना को लक्ष्यभाषा में ढालकर उसे परवर्ती जीवन में निरन्तर बनाने का कर्म है। इस दृष्टि से अनुवाद पुनर्नवा होता है। अनुवाद की यह पुनर्नवता उसकी ऐसी दुर्लभ विशेषता है, जो उसे भाषा से प्राप्त होती है तथा अन्य अनुशासनों के बीच विशिष्ट और अद्वितीय बनाती है। अतः यह कहना उचित होगा कि अनुवाद पुनर्रचना के रूपाकार में रचना का अनश्वर उद्यम है। यह मूल रचना के सन्देश का अन्य भाषाभाषी समाजों में प्रसार करने के बहाने सामाजिक बदलाव और उत्थान का हेतु बनने का भी उद्यम है। यह भाषा में दूसरी भाषा की सृजन–सम्भावनाओं को साकार करने का उपक्रम भी है। अलबत्ता अनुवाद में यह उपक्रम यूँ ही नहीं होता। ऐसा अनुवाद के सरोकार तथा लक्ष्यभाषा के स्वभाव के कारण होता है।

अनुवाद दरअसल रचना का भाषान्तरण होने के साथ-साथ उसके अभिप्राय का उद्घाटन भी है। अनुवाद में यह उद्घाटन मूल रचना के अर्थान्तरण में नहीं, बल्कि उसके सम्पूर्ण बोध को अन्तरित करने के प्रयास में चरितार्थ होता है। इस

प्रयास में रचना में प्रयुक्त शब्दों के सामान्य अर्थ काम नहीं आते। शब्दों के अन्तस् में विद्यमान भाव सहायक बनते हैं। बेहतर अनुवाद इसी प्रविधि से सम्भव होता है। उदाहरण के लिए—

'Man is, by nature a social animal'.

मनुष्य स्वभाव से सामाजिक प्राणी है।

कहना न होगा कि इस उदाहरण में animal का प्राणी के रूप में अनुवाद मात्र भाषान्तरण नहीं है, बल्कि मूल कथन के अर्थ एवं अभिप्राय का सन्धान और साक्षात्कार भी है। इस तरह अनुवाद में मूलरचना के अलक्षित अर्थ एवं अभिप्राय का लक्षित रूप में रूपायित होना दरअसल एक भाषा-रचना की दूसरी भाषा में पुनर्रचना है। इसीलिए अनुवाद को रचना की पुनर्रचना कहा जाता है। तथापि अनुवाद पुनर्रचना होकर भी सामान्य पुनर्रचना नहीं है। यह एक ऐसी पुनर्रचना है, जिसमें मूल रचना लक्ष्य भाषा में अपने अर्थ और अभिप्राय सहित उद्भाषित होती है। अनुवाद में मूल रचना का परिवर्द्धित उद्भास असल में भाषाओं के बीच पाये जानेवाले अन्तर के कारण होता है। साथ-ही-साथ ऐसा अनुवाद में मूल रचना के अर्थ और अभिप्राय की पुनर्प्रस्तुति की चाह एवं चेष्टा के कारण भी होता है। इस चाह और चेष्टा के उद्यम में अनुवाद दो भाषा-संस्कृतियों का संवाद बन जाता है। अनुवाद की महत्ता में इस संवाद का अवदान सर्वोपरि है।

अनुवाद में इतनी सारी सम्भावनाओं की तलाश करना एक तरह से अनुवाद के क्षितिज का विस्तार करना है। निश्चय ही अनुवाद का यह नया विमर्श है, जिस पर व्यापक रूप से विचार और मीमांसा की जरूरत है। वैसे अनुवाद का यह नया विमर्श कोई काल्पनिक और हवाई विमर्श नहीं है। इसकी एक सुदीर्घ एवं विरल परम्परा संस्कृत के आचार्यों और पश्चिम के भाषाशास्त्रियों तथा सर्जकों में भी मिलती है। संस्कृत के महान विचारक और 'वाक्यपदीयम्' के प्रणेता भर्तृहरि की प्रसिद्ध स्थापना के अनुसार—"शब्द ब्रह्म है और ब्रह्माण्ड उसकी अभिव्यक्ति।" उन्होंने शब्द ब्रह्म को 'पश्यन्ती', 'मध्यमा' एवं 'वैखरी' नामक तीन चरणों में अभिव्यक्त माना है। उनका कथन है –

"वैश्वर्या मध्यमायाश्च तदद्भुतम।
अनेक तीर्थ भेदायास्त्रय्या वाचः परं परदम्"।[7]

भर्तृहरि के बाद के वैयाकरणों ने शब्द के उद्‌भव में पश्यन्ती से पहले 'परा' नामक एक और चरण की कल्पना की है; अर्थात् 'परा', 'पश्यन्ती', 'मध्यमा' और 'वैखरी'। शब्द के आर्विभाव में अन्तर्दृष्टि की सुगबुगाहट अर्थात् विचार की कौंध, फिर कौंध का चेतना में प्रस्फुटन और अन्ततः शब्द ब्रह्म का भाषा के रूपाकार में प्रकटीकरण के रूप में इन चरणों के अस्तित्व की कल्पना की गयी है। इन्हीं चरणों में भाषा का उद्‌भव और अभिव्यक्ति सम्भव होता है। भर्तृहरि की यह स्थापना असल में भाषा की आन्तरिक संरचना का रूपांकन और उद्‌घाटन है। भर्तृहरि ने इसे भाषा की आन्तरिक संरचना कहा है और इसे सार्वभौम माना है।

अनुवाद की आधुनिक पश्चिमी अवधारणा भी भाषा के सार्वभौम होने की वकालत करती है। वारेन वीवर ने अपने 'मेमरैण्डम' में भाषा के सार्वभौम स्वभाव के सम्बन्ध में लगभग इसी तरह की स्थापनाएँ प्रस्तुत की हैं। उनके अनुसार मनुष्य के मस्तिष्क की रचनात्मक कारयित्री सम्भावनाएँ एक समान होती हैं। मनुष्य चाहे कहीं का भी हो, उसकी वाक् इन्द्रियाँ एक जैसी होती हैं और एक जैसी ध्वनियों के उच्चारण में सक्षम होती हैं। इसलिए स्थान और समय भेद के बावज़ूद भाषाओं का उद्‌भव एक जैसा हुआ होगा। अतः आन्तरिक स्तर पर सभी भाषाएँ एक जैसी होती हैं। इसलिए अनुवाद में भाषाओं के ऊपरी भेद से नीचे उतर कर, संरचनात्मक स्तर पर अन्तरण होना चाहिए।

जाहिर है कि भर्तृहरि और वारेन वीवर की स्थापनाओं में भाषा की आन्तरिक संरचना के एक समान होने की बात मिलती है। ऐसे में अनुवाद चाहे जिस किसी भाषा से किसी अन्य भाषा में किया जाये, पाठ के अर्थ और अभिप्राय के सतही उद्‌घाटन से बचना चाहिए। चूँकि आन्तरिक संरचना के मामले में भाषाएँ एक समान होती हैं, इसलिए अनुवाद महज शब्द, वाक्य संरचना, व्याकरणिक विधान और पाठ मात्र का रूपान्तरण नहीं होता। वैसे भी किसी भाषा के शब्द अपने सामाजिक, सांस्कृतिक एवं ऐतिहासिक सन्दर्भ से अनुप्राणित होते हैं। शब्द में स्थानीय परिवेश तथा देशकाल का प्रभाव अन्तर्ध्वनित रहता है। फलतः शब्द अपनी अर्थ परक प्रकृति में व्यापक एवं बहुस्तरीय होते हैं। जाहिर है कि अनुवाद में शब्द अपने मूलार्थ तक सीमित न रहकर नये रूप, नयी भंगिमा और नयी अर्थ छवि के साथ अन्तरित होते हैं। इसलिए अनुवाद मूल रचना के अर्थ,

भाव और प्रभाव का दूसरी भाषा में अन्तरण के बहाने उसका सम्पूर्ण साक्षात्कार होता है। इसी अर्थ में अनुवाद मूल रचना का लक्ष्य भाषा में परवर्ती जीवन होता है। उदाहरण के लिए प्रसिद्ध अंग्रेज कवि विलियम वड्र्सवर्थ की मशहूर कविता 'Ode' (Intimations of Immortality From Recollections of Early Childhood में संकलित) का एक अंश तथा उसकी हिन्दी अनुरचना यहाँ प्रस्तुत है—

"Thou child of Joy,
Shout round me,
Let me hear thy shouts,
Thou happy....boy."

अनुवाद

'ओ प्रफुल्लता के बाल करे !
चारों ओर उठी किलकारी
मैं भी तो सुन लूँ अब तेरे
हर्ष भरे उन्माद घनेरे।'

वैसे अनुवाद अपनी मूलवत्ता में किसी रचना की अनुरचना या किसी सृजन का अनुसृजन अथवा किसी कृति की अनुकृति होता है। रचना या सृजन में विषय का प्रतिपाद्य, कल्पना-विधान, अनूभूति की गहराई और भाषा-लालित्य उसे पठनीय और स्मरणीय बनाते हैं। अनुवाद में सृजन की इन विशेषताओं को कायम रखते हुए उसे दूसरी भाषा में अनुसृजित किया जाता है। किन्तु किन्हीं दो भाषाओं की प्रकृति, उनके शब्दों की पारस्परिक अर्थ-संगति, उनके वाक्य-विन्यास, अलंकार-योजना, सांस्कृतिक बोध आदि के एक समान नहीं होने के कारण अनुवाद में कृति के प्रतिपाद्य और लालित्य तथा प्रभावान्विति की अनुकृति रचना दुष्कर होता है। ऐसे में अनुवादकर्त्ता को अनुवाद करते समय मूल से आबद्ध रहने के बजाय आवश्यकता के अनुरूप गत्यात्मक अथवा व्यावहारिक रीति से काम करना जरूरी हो जाता है। मूलकृति के सामान्य अंश का भाषान्तरण तो सहजतापूर्वक हो जाता है, किन्तु सर्जनात्मक और सांस्कृतिक बोध

वाले अंश या पाठ के अन्तरण में मुश्किलें आती हैं। ऐसे अंश के अनुवाद में भाषान्तरण की परिपाटी सहायक नहीं होती। इसके लिए समानान्तर सृजन का तरीका ही श्रेयस्कर होता है ताकि अनुवाद में मूलकृति की आत्मा का ताप और वैभव अभिव्यंजित हो पाये। अनुवाद में 'सांस्कृतिक सन्दर्भों के एकीकरण का सिद्धान्त' इसीलिए ख्यात है।

वैसे भी अनुवाद किसी कथन या पाठ का शब्दान्तरण या भाषान्तरण नहीं है। अनुवाद का भाषान्तरण सृजन के कथ्य, भाव, सौष्ठव और प्रभाव के मामले में प्राणवान् अनुसृजन होता है। अंग्रेज कवि जॉन ड्राइडन ने– "सिल्वी : ऑर द सेकेण्ड पार्ट ऑफ पोएटिकल मिसलेनी" में वर्जिल, लूक्रीशियस, थियोक्रिट्स और होरेस की काव्यकला पर विचार करते हुए कहा भी है–

"For, after all, a Translator is to make his Author appear as charming at possibly he can, provided he maintains his Character, and makes him not unlike himself. Translation is a kind of Drawing after the Life; where every one will acknowledge there is a double sort of likeness, a good one and a bad. 'This one thing to draw the Outlines true, the Features like, the Proportions exact, the Colouring it self perhaps tolerable, and another thing to make all these graceful, by the posture, the shadowings, and chiefly by the Spirit which animates the whole."[8]

अर्थात्, "आखिरकार, अनुवादक का काम यह है कि वह मूल को यथासम्भव आकर्षक बनाकर पेश करे, बशर्ते कि वह मूल कृति की प्रकृति की रक्षा कर पाये और उसे इतना न बदल दे कि उसका अपना स्वरूप ही बदल जाये। अनुवाद एक प्रकार से जीवन की अनुकृति है; सभी सहमत होंगे कि अनुकृति दो तरह की होती है – अच्छी और बुरी। रूपरेखा यथावत् बना लेना, नाक-नक्शा सही उतार लेना, बिल्कुल सही अनुपात कर लेना और सम्भवतः कामचलाऊ रंग भी भर लेना – यह सब एक बात है। लेकिन इन सब में लालित्य, मुद्रा, भाव-भंगिमा और रंगों का उतार-चढ़ाव डाल पाना तथा खास तौर पर एक ऐसी सचलता भर पाना जो इन सब में जान डाल दे–बिल्कुल अलग बात है।"

कहना न होगा कि अनुवाद के लिए, खास तौर से किसी विदेशी भाषा से अपनी भाषा में अनुवाद करने के लिए अनुवादकर्त्ता का अपनी भाषा का अच्छा ज्ञाता होना, अच्छा विश्लेषक होना और अच्छा लेखक होना जरूरी होता है। अनुवाद के लिए शब्दों का ज्ञान और भाषा-शैली का विवेक ही पर्याप्त नहीं होता, भाषा की शब्दावली और शैली का दक्षतापूर्वक प्रयोग तथा रचना कौशल भी महत्त्वपूर्ण होता है। अनुवादकर्त्ता के लिए जरूरी होता है कि उसे मूल रचना की भाषा की भी पूरी समझ हो, साथ ही अपनी भाषा पर पूरा अधिकार हो। अनुवाद कला में मूल रचनाकार के भावों की सांगोपांग अभिव्यक्ति और प्रवाहमयी भाषा-संरचना अपरिहार्य होती है। इसलिए अच्छे अनुवादक अपनी भाषा के अच्छे लेखक भी होते हैं। हिन्दी के श्रेष्ठ अनुवादक अपनी भाषा के श्रेष्ठ रचनाकार भी हैं। भारतेन्दु हरिश्चन्द्र, रामचन्द्र शुक्ल, प्रेमचन्द, दिनकर, बच्चन, मोहन राकेश, रघुवीर सहाय, धर्मवीर भारती, भीष्म साहनी, अमृत राय आदि के लेखन और अनुवाद इसके अन्यतम उदाहरण हैं।

तथापि साहित्यिक रचनाओं का अनुवाद कठिन होता है। ऐसा इसलिए कि साहित्य में विषयवस्तु की कल्पनाशील प्रस्तुति होती है। उसमें सांस्कृतिक भावों की लयात्मक अभिव्यक्ति होती है। शब्दों का मितव्ययी उपयोग होता है। साहित्य की गहरी अभिव्यंजना पाठकों की कल्पनाशीलता को उड़ान का अवसर देती है। साहित्य में कहा से अधिक अनकहा होता है। ऐसे में साहित्यिक रचना का यथारूप अनुवाद निश्चय ही मुश्किल होता है। अनुवाद में मूल रचना के अनकहे का सन्धान कर उसे शब्दों में यदि बाँधा न जाये तो मूल के अनकहे का अन्तरण असम्भव हो जाता है। और इसे विडम्बना ही कहना होगा कि मूल के अनकहे को सम्भव करने के लिए अनुवाद में शब्दों का मितव्ययी नहीं, बल्कि प्रचुर प्रयोग करना पड़ता है। इससे अनुवाद में मूल का स्वरूप विस्फारित हो जाता है। अनुवाद की यह सीमा रचना की पुनर्रचना का विश्लेषण करने के क्रम में उजागर होती है। किन्तु अनुवाद यदि रचना की पुनर्रचना है तो उसे भाषागत दृष्टि से ही नहीं, भावगत और प्रभावगत दृष्टि से भी समतुल्य होना पड़ता है। निश्चय ही अनुवाद की यह मुश्किल शर्त है। अच्छे अनुवादक इसी मुश्किल शर्त की सिद्धि कर प्रसिद्धि पाते हैं।

सन्दर्भ संकेत

1. Christie MacDonald (edited), The Ear of the other : Texts and Discussions with Jacqes Derrida, University of Nebraska Press, Lincon, 1985, Page-120.
2. दिनकर रचनावली – 4, सम्पादक : नन्द किशोर नवल, तरुण कुमार, लोकभारती प्रकाशन, इलाहाबाद, पहला संस्करण : 2011, 'सीपी और शंख : भूमिका', पृष्ठ-351.
3. Eugene A. Nida and Charles R. Taber, The Theory and Practice of Translation, Leiden, 1964, Page-12.
4. शिबन कृष्ण रैणा, अनुवाद का सौन्दर्य, जनसत्ता, नयी दिल्ली, 9 जुलाई, 2013, पृष्ठ-6.
5. Walter Bengamin, The Task of the Translator, Selected Writings, volume-1, 1913-1926, Edited by Marcus Bullock and Michael W. Jennings, The Belknap Press of Harward University Press, Fifth Printing, 2002, Page-255.
6. उपरिवत, पृष्ठ – 254.
7. डॉ. रमण सिन्हा, अनुवाद और रचना का उत्तर-जीवन, वाणी प्रकाशन, नयी दिल्ली, संस्करण : 2002, पृष्ठ-28.
8. John Dryden, Sylvae, or, The second part of Poetical Miscellanies, preface, Page - 2-3

अनुवाद का वैभव

अनुवाद एक कला है—भाषा में सृजन की कला, भाषा-सृजन के अनुसृजन की कला, भाषा-रचना की अनुरचना-कला। कला में कल्पना और स्वच्छंदता बड़ा मानीखेज होती हैं। कला को ये नित्य और प्रासंगिक बनाती हैं। यही वे अभिलक्षण हैं, जिनकी बदौलत कोई रचना, कला-रचना बनती है। साहित्य-कला की श्रेष्ठता में निहित ये अभिलक्षण बड़े मूल्यवान होते हैं।

अनुवाद को विज्ञान की संगत ने मशीन यानी कम्प्यूटर से साधकर और सम्भव कर कला के साथ-साथ कौशल भी बना दिया है। इस कौशल में 'मशीन ट्रांसलेशन' की सफलता ने मानो पंख लगा दिये हैं। 'रियल टाइम ट्रांसलेशन' की माँग और इसकी पूर्ति की दिशा में हो रहे वैज्ञानिक प्रयासों की सफलता हमारी बहुभाषिक दुनिया और अन्तरभाषिक सरोकारों के लिए कांतिकारी है। इस बीच सूचनाक्रान्ति और बाजारवाद ने अनुवाद को विमर्श के हाशिये से उठाकर केन्द्र में ला दिया है। भूमण्डलीकृत दुनिया परस्पर सम्पर्क में जैसे-जैसे सिमटतनी जायेगी, अनुवाद का महत्त्व और वैभव बढ़ता जायेगा।

अनुवाद को आमतौर पर सृजन का अनुसृजन कहा जाता है। परन्तु, यह अनुसृजन किंचित अनूठा होता है। इसमें मूल कथन और उसके संदेश को लक्ष्यभाषा में पुन:सृजित किया जाता है। इस पुन: सृजन में मूल की भाषा-शर्तों का अतिक्रमण लाजिमी होता है। सृजन की भाषा-शर्तें अनुसृजन में काम नहीं आतीं। सृजन का अनुसृजन मगर सृजन की भाषा-शर्तों का अतिक्रमण—यही अनुवाद को अनूठा बनाता है और इसी के बल पर अनुवाद लक्ष्यभाषा की स्वाभाषिक रचना के जैसा आभास करा पाता है।

अनुवाद दो भाषाओं के बीच सम्पन्न होता है, जबकि प्रत्येक भाषा के शब्द, शब्द के अर्थ, वाक्य संरचना, व्याकरण आदि भाषा विशेष से सम्बन्धित और

खास होते हैं। ऐसे में अनुवाद की सफलता एवं स्वाभाविकता के लिए जरूरी है कि मूल कथन का अंतरण लक्ष्यभाषा के शब्द, विन्यास तथा व्याकरण के अनुरूप हो, अन्यथा मूल पाठ का दूसरी भाषा में हू-ब-हू अंतरण अनुवाद को अपठ्य तथा बनावटी बना देता है। कदाचित् इसीलिए आई.ए. रिचर्ड्स ने अनुवाद को ब्रह्माण्ड का सबसे मुश्किल कार्य बताया है।

"Translation may bery probably be the most complex type of event yet produced in the evolution of the cosmos."

अनुवाद नहीं होता तो हमारी दुनिया महामौन का पर्याय होती। न भाषा होती और न विचार। अभिव्यक्ति के अभाव में दर्शन का अस्तित्व भी नहीं होता। आदिम मौन के विरुद्ध अभिव्यक्ति की अकुलाहट ने भाषा को जन्म दिया और भाषाओं के बीच संवाद की आवश्यकता ने अनुवाद को। अनुवाद के विकास से सभ्यता विकसित हुई और फिर दर्शन का उद्भव हुआ। अनुवाद के विकास से दर्शन के विकास तक की शृंखला वस्तुतः मनुष्य के विचार, अभिव्यक्ति एवं संवाद की एक ऐसी महागाथा है, जिसकी व्याख्या प्रत्येक देश और काल में मानव-मेधा अपने-अपने नजरिये से करती रहेगी।

अनुवादक कृति या पाठ का विशिष्ट और आदर्श पाठक होता है। उसकी अन्वेषण दृष्टि रचना की तह तक जाती है। पाठ के शब्द 'विन्यास' अर्थ एवं भाव और अभिप्राय में से ऐसा कोई पक्ष नहीं होता, जो अनुवादक की पारखी दृष्टि से बच जाये। मूल रचना के प्रत्येक पक्ष का, हर रग-रेशे का सूक्ष्म अवलोकन एवं विश्लेषण करना और उससे अनुरचना करना अनुवादक का काम होता है। इस काम में भाषिक दक्षता और अनुभव बड़े महत्त्व के होते हैं। मूल रचना के किस अंश का अर्थान्तरण होगा और किसका भावान्तरण, अनुवादक अपने सहज विवेक और भाषा ज्ञान से इसे संपन्न करता है। उदाहरण के लिए— Don't give me advice. Advices have been given by me. I have seen so many summers and Winters in my life.

मुझे सलाह न दें। सलाह मैं देता हूँ। मैंने अपने जीवन में बहुत सारे उतार-चढ़ाव देखे हैं।

जैक देरिदा ने अपने अनुवाद-चिंतन में कहीं, शायद 'What is a relevant translation.' नामक प्रसिद्ध लेख में लिखा है कि "ऐसा कुछ भी

नहीं है जो अनूदित नहीं हो सकता और कुछ भी ऐसा नहीं है जो अनूदित हो सकता है।''

मतलब साफ है कि किसी कथन अथवा अभिव्यक्ति में भाषा की भूमिका महत्त्वपूर्ण और निर्णायक होती है। कथन में निहित विचार, भाव और संदेश तथा उसका प्रभाव भाषा में सम्भव एवं साकार होते हैं। चूँकि भाषा में उसके वक्ता समाज के वैयक्तिक और सामूहिक जीवन के सुख-दुख, जय-पराजय, स्वप्न और आकांक्षा आदि सारे मनोभाव एवं सामूहिक चिंतन अनुभूति-रूप में अंतर्निहित होते हैं, इसलिए किसी भाषा में किसी कथन के जो आशय और अंदाज होते हैं, वे दूसरी भाषा में अनूदित होने पर अर्थ तथा प्रभाव के मामले में यथावत नहीं रहते। ऐसे में अनुवाद में मूल पाठ के आशय और असर का बदल जाना स्वाभाविक है। मुहावरों, लोकोक्तियों और सांस्कृतिक कथनों के अनुवाद से इसे समझा जा सकता है।

वैसे अनुवाद की नियति दो सर्वथा अपरिचित भाषाभाषी समाजों के बीच संवाद का माध्यम बनने की है। किन्तु इस माध्यम का फायदा अक्सर वे लोग उठाते है, जो सामर्थ्यवान होते हैं। निश्चय ही अनुवाद के लिए वह स्थिति विकट होती है, जब उसका उपयोग समाज और मानवता के हित में होने के बजाय निहित स्वार्थ की सिद्धि में होने लगता है। अनुवाद में राजनीति और अनुवाद की राजनीति यही से शुरू होती है।

वैसे भी यह गहन पड़ताल का विषय है कि अनुवाद का अध्ययन और व्यापक स्तर पर अनुवाद के कार्य क्या किसी तरह के वैचारिक झुकाव से प्रभावित होते हैं? अनुवाद के क्षेत्र में सुसंगत अध्ययन, अनुसंधान और कार्य आखिर दुनिया के विकसित देशों और बहुराष्ट्रीय कंपनियों द्वारा ही क्यों हो रहे हैं? क्या अनुवाद और बाजार में कोई संगति है? क्या अनुवाद के कार्य आजकल विचार-निरपेक्ष भाव से हो रहे हैं अथवा जन भावना को प्रभावित करने के उद्देश्य से? भूमण्डलीकरण और सूचना क्रान्ति के दौर में अनुवाद में बाजार की अभिरुचि बढ़ने का क्या मतलब है?

सत्ता और सर्वसत्ता की राजनीति आज के दौर में अनुवाद को उसके ज्ञानप्रसारी स्वभाव से काटकर चयन आधारित बना रही है। इससे कुछ बेहद जरूरी सर्जनात्मक और वैज्ञानिक साहित्य अनुवाद होने में पीछे रह जा रहे हैं, जबकि व्यापार-प्रबंधन, कौशल विकास आदि से सम्बन्धित पुस्तकों के अनुवाद

से बाजार पाट दिया जा रहा है। अनुवाद की इस कार्रवाई में सूचनाक्रान्ति का दबाव तथा बाजार की राजनीति की घुसपैठ साफतौर पर देखी जा सकती है। ऐसे में सवाल खड़ा होता है कि अनुवाद की प्राथमिकता क्या हो और उसमें किस रचना अथवा विचार–साहित्य को प्रश्रय दिया जाय?

अनुवाद अब स्वांत: सुखाय अथवा स्वप्रेरणाजनित नहीं रहा। अनुवाद को अब अर्थनीति एवं राजनीति से जुड़ा हुआ विषय बना दिया गया है। चूँकि अनुवाद से मूल कथन में निहित विचार का प्रसार होता है, अस्तु सत्ता अपने अनुकूल साहित्य के अनुवाद को प्रश्रय देती है। सोवियत संघ के जमाने में वहाँ की सत्ता द्वारा प्रगतिशील रूसी साहित्य का दुनिया भर की भाषाओं में अनुवाद सुलभ कराने से इसे समझा जा सकता है। इसी तरह आज के बाजारवादी समय में बाजार तंत्र को ताकत पहुँचाने वाली अंग्रेजी–प्रबन्धन की पुस्तकों के वैश्विक प्रसार एवं विपणन में बाजार की राजनीति साफ–साफ देखी जा सकती है।

अनुवाद की कसौटी उसकी गुणवत्ता होती है। अनुवाद में अच्छा और खराब का मामला शुरू से बहसतलब रहा है। वैसे गुणवत्ता का मामला इस बात पर निर्भर करता है कि अनुवाद किस पाठ का हुआ है। आज के दौर में अनुवाद की गुणवत्ता इसबात से तय नहीं होती कि वह मूल के प्रति कितना वफादार है या वह प्रासंगिक है या नहीं। आजकल अनुवाद में इस बात पर जोर दिया जा रहा है कि कौन–सी विचारधारा समाज में छाई हुई है और किस विचारधारा से अनुवाद खुद प्रासंगिक रहेगा।

सृजन के समान ही अनुसृजन यानी अनुवाद की भी अपनी एक सामाजिकता होती है। आप चाहे जितने पढ़ाकू हों, किन्तु यदि आपने जमाने के चलन के मुताबिक नहीं पढ़ा है तो आप पिछड़े माने जायेंगे। आज भारतीय समाज में हाशिए का साहित्य यानी स्त्री, दलित और आदिवासी विमर्श से अनजान रहना साहित्य की सामाजिकता में पिछड़ा होना है। उदाहरण के लिए महाश्वेता देवी के बांग्ला और ज्योतिराव फुले तथा श्रवणकुमार लिम्बाले के मराठी उपन्यासों को यदि हमने नहीं पढ़ा है तो हम साहित्य की सामाजिकता में पिछड़े माने जायेंगे। जाहिर है, बांग्ला या मराठी से भिन्न कोई भाषाभाषी इन उपन्यासों को अनुवाद के माध्यम से ही पढ़ सकता है। महाश्वेता देवी के उपन्यास 'हजार चौरासीवें की माँ' अथवा श्रवणकुमार लिम्बाले की जीवन 'अक्करमाशी' के

युग प्रभावी विमर्श के कारण उसके अनुवाद भी हमें प्रभावित करते हैं। हम इन पुस्तकों के अनुवाद को भी उपकृत भाव से पढ़ जाते हैं और इनके गुण-दोष या सौन्दर्य पक्ष पर जरा भी गौर नहीं करते। निश्चय ही इन पुस्तकों के अनुवाद में मूल का कुछ प्रभावी अंश अंतरित होने से रह गया है, किन्तु अपने समय के साथ कदमताल करने के लिए हमें ये अनुवाद भी परम संतोष देते हैं। अत: कह सकते हैं कि अनुवाद में उत्तम, सृजन और उसके कलात्मक सौन्दर्य का महत्त्व उतना नहीं है, जितना प्रचलित एवं प्रतिष्ठित विचारधारा का है। यह अनुवाद की राजनीति है।

अनुवाद में राजनीति हो अथवा अनुवाद की राजनीति, अंतत: यह सत्ता की राजनीति होती है। अनुवाद को ज्ञान पुंज (Khowledge itself) कहना भी एक तरह की राजनीति है, जिसे सत्ता अपनी तरह से इस्तेमाल करना चाहती है। वैसे राजनीति अनुवाद का उपयोग अपने हित में साहित्य की तुलना में ज्यादा बेहतर और प्रभावी रूप में करती है। साहित्य नैतिकता से बंधा होता है और अनुवाद में भी वह इसे नहीं छोड़ता, जबकि राजनीति के लिए सफलता ही नैतिकता होती है। साहित्य के अनुवाद में मूल का रंच मात्र लोप भी शिराजा बिखेर देता है, जबकि राजनीति इसकी परवाह नहीं करती; क्योंकि वह जानती है कि अनुवाद में मूल अपनी किसी क्षति या विचलन के लिए कभी चीखने नहीं आता।

अनुवाद मूल का उत्तर जीवन है, जिसमें परिवर्तन एवं परिवर्द्धन स्वाभाविक है। अनुवाद का कोई रचनात्मक कॉपीराइट भी नहीं होता कि एक कृति का एक ही अनुवाद होगा। एक कृति के कई अनुवाद हो सकते हैं, होते हैं और होते रहेंगे। मूल और अनुवाद में किसे कितनी अहमियत मिले और कौन-सा अनुवाद सम्मानित हो, कौन-सा नहीं, यह सत्ता की राजनीति और विचारधारा की माँग तय करती है। इसलिए किसी पाठ को पढ़ने का हमारा नजरिया अनुवाद के लिए महत्त्वपूर्ण होता है।

अनुवाद मूल का स्थावर नहीं, गत्यात्मक पाठ है और इसे अपनी विधागत पहचान बनाने में लम्बी जद्दोजहद क़रनी पड़ी है। अनुवाद की जद्दोजहद प्रकारांतर से सभ्यता के विकास में सहायक रही है। यह सच है कि अनुवाद सृजन का अनुसृजन है और यह भी उतना ही सच है कि अनुवाद को अनुसृजन बने रहने के लिए निरंतर जद्दोजहद करनी होगी। यह अनुवाद की सहजता एवं

सृजनशीलता के लिए जरूरी होगा। इसमें किसी भी प्रकार की शिथिलता अनुवाद को कृत्रिम बना डालेगी। फिर न सामाजिकता रहेगी और न राजनीतिक हैसियत। हालाँकि सूचना क्रान्ति के दौर में अनुवाद को लेकर इस तरह की कल्पना बेमानी है। कृत्रिम अनुवाद अब कौन स्वीकारेगा।

जाहिर है, अनुवाद की भाषा थोड़ी अटपटी होती है, क्योंकि इसमें एक भाषा के कथन को दूसरी भाषा में ढाला जाता है। तो इस ढलान में कुछ-न-कुछ क्षति स्वाभाविक है। लेकिन कई बार अनुवाद जिस भाषा में होता है, उसकी समृद्धि भी होती है; क्योंकि अनुवाद के कारण ऐसी अभिव्यक्तियाँ या कथन भंगिमाएँ लक्ष्यभाषा में अवतरित होती हैं, जो पहले नहीं होतीं।

अनुवाद के बारे में कहा गया है कि वह सुन्दर होगा तो प्रभावी नहीं होगा और प्रभावी होगा तो सुन्दर नहीं। यह अनुवाद का बुनियादी अन्तर्विरोध है कि हम उसे सुन्दर बनाने चलते हैं तो प्रभाविता डगमगा जाती है और प्रभावी अनुवाद सुन्दर प्रतीत नहीं होता। इन सब के बावजूद, विश्व साहित्य की जो परिकल्पना 20वीं शताब्दी में की गयी, वह अनुवाद पर ही आधारित है। संसार को मार्क्स और फ्रायड ने जो क्रान्तिकारी विचार दिए, वे सब विचार हमारे पास अनुवाद से ही आए हैं। स्वयं गांधी के बहुत सारे विचार संसार भर में अनुवाद के कारण ही प्रचलित हो पाये हैं।

कहना न होगा कि अनुवाद लोगों को, देशों को और भाषाओं को एक-दूसरे के निकट; पड़ोस में लाता है। हम 19वीं शताब्दी में एक-दूसरे के इस तरह पड़ोस में नहीं थे, जैसा कि आज हैं। इन सब के लिए अनुवाद के अवदान को कभी भुलाया नहीं जा सकता।

अनुवाद करने वाले लोग अक्सर अपनी भाषा और साहित्य की समकालीन हलचलों से बाखबर नहीं होते। हिन्दी अनुवादक अगर हिन्दी भाषा और हिन्दी साहित्य की सामयिक गतिविधियों से अवगत नहीं रहेंगे तो उनका अनुवाद नकली, पिछड़ा, अटपटा और अपठनीय होगा। कारण कि अब भाषा के मुहावरे बड़ी तेजी से बदल रहे हैं। अनुवाद में सृजन भाषा के साथ कदमताल करने से ही सम्भव होता है।

कोई भी समाज अपनी भाषा में अनुवाद किये बिना बड़ा समाज नहीं बन सकता। हमारे पास भाषा है तो कल्पना है। इसके कारण हमारे में निर्माण की क्षमता है। पृथ्वी, पृथ्वी ही बनी रहती, संसार में बदलती ही नहीं,

अगर भाषा न होती। पशु-पक्षियों, कौओं के लिए पृथ्वी ही सारे बोध का आलम्बन होती है, संसार नहीं। हमारे लिये पृथ्वी भी है और संसार भी। भाषा के बहुत सारे पक्षों को ध्यान में रखने से ही अनुवाद किसी रचना की अनुरचना बन पाता है।

अनुवाद अगर अनुसृजन बनकर सहज, सुलभ और बोधगम्य होता है तो इसके लिए भाषिक रूपान्तरण नहीं, बल्कि भावान्तरण ही काम्य हो सकता है। मार्केटिंग में छोटी मुहावरेदार पंच लाइन यदि मनमोहक और प्रभावकारी होती है तो निश्चित रूप से जरूरत व्यक्ति केन्द्रित अनुवाद की नहीं, बल्कि सामूहिकता में विकसित अनुसृजन के रूप में भावान्तरण को बढ़ावा देने की है। बाजारवाद के जमाने में बाजार की लड़ाई बाजार के हथियारों से ही लड़ी जा सकती है। भारत की ताकत और भारत का बाजार अगर बढ़ाना है तो हिन्दी समेत समस्त भारतीय भाषाओं के बीच आपसदारी बढ़ानी होगी। इनके बीच संरचना एवं व्याकरणिक विभेद के बावजूद समझदारी का वातावरण विकसित करना होगा, जिससे कि हिन्दी सहित समस्त भारतीय भाषाओं के वक्ता समाज में सीधे संवाद का सिलसिला कायम हो पाये। इसमें अनुवाद की बड़ी कारगर और महत्त्वपूर्ण भूमिका होगी।

सूचना-क्रान्ति के मौजूदा दौर में दुनिया भर में अंग्रेजी का जो अचानक वर्चस्व बढ़ा है, उससे तीसरी और चौथी दुनिया के देशों में अपनी भाषाओं को लेकर दुर्भाग्यपूर्ण हीन भावना विकसित हुई है। इसकी परिणति अंग्रेजियत के श्रेष्ठता बोध में हुई है। इस बोध ने व्यापक वैश्विक समाज को अंग्रेजियत अर्थात् अहंकार और झूठी शान में इस कदर जकड़ लिया है कि हम सहज नहीं हैं। इससे हमारी आपसदारी बाधित हुई है। भाईचारे का भाव भी कमजोर हुआ है। भावात्मक एकता और सांस्कृतिक अखण्डता व्यापक तौर पर प्रभावित हुई है। शासन और प्रशासन में अंग्रेजी के चलन से लोकतन्त्र की मूल प्रतिज्ञा भी प्रभावित हुई है। लोकतन्त्र यदि एक आधुनिक शासन व्यवस्था है तो आधुनिकता के प्रसार के लिए उसका बने रहना और प्रभावकारी रहना बेहद जरूरी है। ऐसे में आधुनिकता की वाहक भाषा केवल अंग्रेजी नहीं हो सकती। भारतीय भाषाओं को भी इसका वाहक बनना होगा। यह सम्भव होगा तो अनुवाद के माध्यम से। हमारे अनुवादक अपनी साधना से इसे बहुत हद तक पूरा करने का प्रयत्न भी कर रहे हैं। परन्तु संचार क्रान्ति

और सूचना विस्फोट के मौजूदा दौर में यह काम अब केवल मनुष्य के बल-बूते नहीं छोड़ा जा सकता।

अनुवाद की एक बेहतर और व्यापक प्रणाली के अभाव में दुनिया के एक बड़े भू-भाग में, जिसमें भारत भी शामिल है, विकसित और उन्नत ज्ञान समाज का निर्माण नहीं हो पा रहा है। समर्थ और सक्षम अनुवाद प्रणाली के नहीं होने से आज भारत सहित विकासशील दुनिया की भाषिक विविधताओं, सामुदायिक विशिष्टताओं, रीति-रिवाजों, सांस्कृतिक खूबियों, ज्ञानात्मक उपलब्धियों तथा क्षेत्रों और प्रान्तों की बहुत सारी अच्छाइयों से हम अपरिचित और अनभिज्ञ रह जाते हैं। इस अपरिचय को मिटाने और क्षेत्रों की हदबन्दी में जकड़े समाजों में आपसदारी, एकता और एक-दूसरे की सांस्कृतिक उच्चता से परिचित होने में अनुवाद की सार्थक और रचनात्मक भूमिका से इनकार नहीं किया जा सकता। अनुवाद के माध्यम से एक उन्नत ज्ञान समाज का विकास और विश्व-बन्धुत्व को मजबूत किया जा सकता है।

'रियल टाइम ट्रांसलेशन' की मांग के समय में मशीन ट्रांसलेशन की जरूरत आज जितनी है, उतनी पहले कभी नहीं थी। हिन्दी में और सम्पूर्ण बहुभाषिक दुनिया में मशीन ट्रान्सलेशन की संकल्पना जितनी जल्दी सफल होगी, समस्त विकासशील समाज एक मुकम्मिल सूचना समाज और ज्ञान समाज बन पायेगा। ज्ञान-शक्ति (Knowledge Power) के युग में विकसित होने की यही कुंजी है।

अनुवाद की संवादी भूमिका

मानव सभ्यता अपने उद्‌भवकाल से विकसित होती हुई आज जिस मुकाम पर पहुँची है, उसमें आग की खोज से अगर ऊर्जा, सुरक्षा और प्रकाश मिले तो भाषा की उत्पत्ति एवं विकास से मनोभावों की अभिव्यक्ति, सम्प्रेषण, सम्पर्क के सूत्र तथा चिन्तन और विवेक हासिल हुए। अभिव्यक्ति की घोर छटपटाहट के क्षणों में आदिम मानव के कण्ठस्वर फूटे होंगे। फिर गूँज और अनुगूँज - स्वरों का आवर्तन, अनुवर्तन और पुनरावर्तन—यानी वाणी का अविराम निनाद। भाषा का उद्‌भव और विकास कदाचित् इसी तरह से हुआ होगा।

अनुमान है कि भाषा के उद्‌भवकाल में मनुष्य कन्दराओं से निकलकर कबीलों में रहने लगा होगा। कबीलों और गण समाजों की निजता तथा सामूहिकता इतनी क्रियाशील रही होंगी कि उसका भाषा पर प्रभाव पड़ना स्वाभाविक था। कदाचित् इसीलिए समाज-विकास के आदिम काल में बहुत सारी भाषाएँ थीं।

भाषिक विविधता इस बात के प्रमाण हैं कि मानव समाज अपने आरम्भिक चरण में बेहद विरल और विच्छिन्न था। तब अछोर प्रकृति की विराटता और दुर्गम एवं अनगढ़ भौगोलिक परिवेश में आदिम मानव समूह की गतिविधियाँ निश्चय ही बेहद सीमित रही होंगी। उसके समस्त क्रिया-व्यापार एक तरह से अस्तित्व रक्षा के निमित्त रहे होंगे। तब संचार, सम्पर्क, संसाधन और सम्प्रेषण की कोई संकल्पना भी नहीं रही होगी। ऐसे में भूख का मारा और अहेर को निकला मानव-समूह सहसा जब अपने ही समान दूसरे मानव समूह से टकराया होगा तो उनकी अलग-अलग भाषाएँ एक दूसरे के भावों और विचारों एवं अनुभवों के आदान-प्रदान में बड़ी मुसीबत बनी होंगी। उनमें संवाद से पहले कदाचित् संघर्ष की नौबत आयी होगी। भाषाविज्ञानी सुनीति कुमार चाटुर्ज्या की

मान्यता भी है कि ‘‘भाषा का विकास आपसी संघर्ष और समझौते का परिणाम है।’’

बहरहाल मुसीबत का वह दौर निश्चय ही कुछ लम्बा रहा होगा। तब एक के मनोभावों को दूसरे तक पहुँचाने में कुछ खास संकेत और कुछ एक आंगिक हाव-भाव ही सम्प्रेषण और संवाद के माध्यम बने होंगे। अनुमान लगाया जा सकता है कि भाषाओं के होते हुए भी तब मनोभावों और अनुभूतियों का आपसी आदान-प्रदान कितना विकट रहा होगा। कदाचित् ऐसे ही अबूझ, अगम और विकट समय में दो परस्पर भिन्न भाषा-भाषियों के बीच संवाद के लिए अनुवाद की शुरुआत हुई होगी। इसलिए मैं मानता हूँ कि अनुवाद एक भाषा के अगम एवं अबूझ को दूसरी भाषा में सुगम बनाने का क्रान्तिकारी कर्म है। अनुवाद की यह क्रान्तिकारिता उसे हमारी सभ्यता के उस उद्‌भवकाल से जोड़ती है, जब संवाद से मानव-जीवन को सुविधा, समर्थन और सुकून मिले होंगे। इसलिए यह कहना अतिशयोक्ति नहीं है कि अनुवाद बुनियादी तौर पर हमारी सभ्यता के आदिम पेशों में से एक है और अनुवादक आदिम पेशेवर।

अनुवाद का आदिम स्वरूप निश्चित रूप से आज जैसा परिष्कृत नहीं, बल्कि बेहद प्राथमिक, खुरदुरा और प्रयत्न एवं भूल से भरा रहा होगा। तथापि भाषाओं के आपसी अगम और उलझन को सुगम या बोधगम्य बनानेवाला वह आदिम अनुवाद भी बेहद उपयोगी रहा होगा। उससे आदिम मानव समाजों के बीच मनोभावों एवं अनुभवों की साझेदारी का सिलसिला शुरू हुआ होगा। फलस्वरूप जीवनयापन के जोखिम कम हुए होंगे और आगे बढ़ने की राहें आसान हुई होंगी।

अनुवाद के आदिम और अनगढ़ रूप से आधुनिक स्वरूप तक की विकास - यात्रा असल में अनुवाद के स्वभाव में निहित सृजनशीलता और नवप्रवर्तन (Creativity and innovation) का द्योतक है। सृजन और नवप्रवर्तन स्वयं में क्रान्तिकारी होते हैं। एक के द्वारा कुछ नया रचा जाता है तो दूसरे में कुछ सर्वथा नये विचार और भाव की उद्‌भावना होती है। नवनिर्माण की अनुभूति एवं अभिव्यक्ति सृजन तथा नवप्रवर्तन – दोनों ही में होती हैं। इससे परम्परा का भंजन होता है, नया मूल्य स्थापित होता है एवं प्रगति का नया पथ प्रशस्त होता है। इसलिए सृजन और नवप्रवर्तन युगान्तकारी होते हैं।

अनुवाद भाषाओं के बीच ज्ञान के अभिगमन या कहें कि आदान-प्रदान एवं प्रसार के माध्यम से विभिन्न भाषाभाषी समाजों में संवाद तथा आपसदारी का रिश्ता जोड़ता है। इससे विभिन्न अपरिचित समाज परस्पर निकट आते हैं और उनमें संघर्ष के बजाय संवाद का सिलसिला चल निकलता है। इससे मानव समाज में प्रगति और विकास की राहें खुलती हैं। इसलिए अनुवाद भी स्वभाव से सर्जनात्मक तथा क्रान्तिकारी होता है। अनुवाद के इन्हीं गुणों ने उसे अपने सरोकार में आधुनिक एवं संरचना में व्यावहारिक ज्ञानानुशासन बनाया है।

वैसे अनुवाद की संवादी भूमिका सर्जनात्मक होती है। अलग-अलग राजनीति तथा भिन्न-भिन्न गुटों में बँटी आज की दुनिया में अनुवाद संवाद के माध्यम से हठधर्मिता, नफरत तथा अहं के टकराव के विरुद्ध आपसी मेलजोल, सामंजस्य, भाईचारा एवं शान्ति का मार्ग प्रशस्त करता है। अनुवाद की यह संवादी भूमिका आज सभ्यताओं के बीच टकराव दूर करने में महत्त्वपूर्ण साबित हो रही है। अनुवाद के माध्यम से विश्व की सभ्यताएँ और संस्कृतियाँ गहरे रूप में प्रभावित हो रही हैं। वे आपस में जुड़ रही हैं। एक-दूसरे से रू-ब-रू हो रही हैं। एक-दूसरे की खूबियों और उपलब्धियों से परिचित हो रही हैं और एक दूसरे की विफलताओं से सबक लेते हुए अपनी आगे की राहें सुगम बना रही हैं। इस तरह से प्रौद्योगिकी और बाजार के मौजूदा वर्चस्ववादी समय में सभ्यताओं के बीच संवाद और सौहार्द का सिलसिला शुरू करने तथा विकास के पथ प्रशस्त करने में अनुवाद की भूमिका महत्त्वपूर्ण हो गयी है।

अनुवाद में एक भाषा-संरचना के अभिप्राय को दूसरी भाषा-संरचना में फिर से रचा जाता है। यह काम दो भाषाओं के बीच अभिव्यक्ति तथा भाव के स्तर पर संवाद और सन्तुलन स्थापित कर किया जाता है। इसमें किसी भाषा में व्यक्त विचार या कथन को दूसरी भाषा में फिर से प्रस्तुत किया जाता है। इस क्रम में एक भाषा का दूसरी भाषा के साथ शब्द, अर्थ, भाव और शैली के धरातल पर अन्तरण का रिश्ता कायम होता है। दो भाषाओं यानी स्रोतभाषा और लक्ष्यभाषा के बीच अन्तरभाषिक पुल निर्मित होता है। भाषिक पुल का निर्माण असल में भाषाओं के बीच आपसी मेलजोल और विचारों की आवाजाही बढ़ाना है। अनुवाद स्वाभाविक रूप से यह सब सम्भव करता है।

हालाँकि भाषाओं में मेलजोल का मामला उनकी अलग-अलग प्रकृति और संरचना-नियम के कारण सहज नहीं होता। भाषाओं के वाक्य-विन्यास

और व्याकरणिक नियम एक-दूसरे के विरोधाभासी होते हैं। अनुवाद करते हुए अनुवादकर्त्ता दो भाषाओं के शब्द, अर्थ और संरचना की एकता एवं भिन्नता का विश्लेषण तथा मिलान करता है। यह विश्लेषण और मिलान यथावश्यकता दो भिन्न समुदायों, राष्ट्रीयताओं, देशों आदि को समझने के काम आता है। मत-मतान्तरों को जानने की जमीन तैयार करता है। इस प्रक्रिया में अनुवाद अपनी अन्तरभाषिक संवाद-शक्ति से विवाद की परतों में जाने तथा उसे समझने का अवसर सुलभ कराता है। इस तरह से अनुवाद विवाद के समाधान की राह तलाशने में सभ्य समाज की मदद करता है। अतः व्यापक सन्दर्भ में अनुवाद किसी विचार अथवा वाद का भाषा-संवाद ही नहीं, बल्कि वाद से पैदा विवाद का समाधान भी है।

अनुवाद अपनी महत्तर भूमिका में देशों और दूरियों में फैले भाषाई विविधता को पाटकर संवाद का सिलसिला शुरू करता है। आज के सूचना-विस्फोट के समय में भी यह भिन्न भाषा-भाषी सभ्यताओं के बीच आपसदारी कायम करने का जरूरी जरिया है। विभिन्न ज्ञानानुशासनों एवं सभ्यताओं में संवाद कायम करने जैसे अपने विलक्षण गुण के चलते अनुवाद सभी के लिए, सभी भाषा-भाषियों के लिए और ज्ञान-विज्ञान के सभी अनुशासनों के लिए अपरिहार्य है। भूमण्डलीकरण और बाजारवाद के मौजूदा दौर में अनुवाद आज जितना अपरिहार्य एवं प्रासंगिक हो गया है, उतना पहले कभी नहीं था।

ज्ञानानुशासन के क्षेत्र में अनुवाद की अपरिहार्यता और प्रासंगिकता का उद्देश्य ज्ञान का प्रसार करना और विभिन्न ज्ञानानुशासनों के बीच समन्वय तथा संवाद का सिलसिला शुरू करना है। इस उद्देश्य में अनुवाद की प्रक्रिया और भाषान्तरण सहायक होते हैं। अनुवाद की प्रक्रिया का मतलब अनुवाद की विधि यानी तौर-तरीका अर्थात् अनुवाद कैसे होता है, इसका विश्लेषण करने से है। यह विश्लेषण भाषा के अनुप्रयुक्त क्षेत्र से जुड़ा है। इसमें भाषा विज्ञान की भूमिका विशिष्ट होती है। इस भूमिका ने यन्त्र अनुवाद, दूसरे शब्दों में कहें तो मशीन ट्रान्सलेशन की संकल्पना को साकार करते हुए अनुवाद को आज एक विकसित और वैज्ञानिक ज्ञानानुशासन बना दिया है।

उल्लेखनीय है कि अनुवाद वैज्ञानिक ज्ञानानुशासन बनकर भी अपनी प्रकृति और अन्तर्वस्तु में सर्जनात्मक होता है। वैसे किसी भी सर्जना में ज्ञान और नवाचार की महत्तर भूमिका होती है। बहुभाषिक भारतीय परिदृश्य में तो अनुवाद

की खासतौर पर महत्त्वपूर्ण, सार्थक और सजर्नात्मक भूमिका है। इस भूमिका को समझने के लिए भारत की बहुभाषिकता को समझना होगा। भाषाओं में अन्तर्निहित उप भाषाओं और क्षेत्रीय बोलियों की शक्ति और सामर्थ्य को समझना होगा। संस्कृति की संवाहिका के रूप में भाषाओं की आधारभूत ताकत को समझना होगा। भाषाओं में संरक्षित भारतीय सभ्यता के संघर्ष और उपलब्धियों को समझना होगा और इन सबसे बढ़कर भारतीय मानस में घर कर गयी अंग्रेजियत की मानसिकता को समझना होगा, जो हर देसी चीज और उपलब्धि को हीन तथा विदेशी एवं अंग्रेजी को श्रेष्ठ मानती है। हालाँकि अंग्रेजी भाषा में उपलब्ध उन ज्ञान-विज्ञानों को कदापि नजरअंदाज नहीं किया जा सकता, जिनकी जानकारी भारत जैसे पारम्परिक समाज के विकास के लिए परम आवश्यक है।

तथापि अंग्रेजियत ने भारतीय समाज को नकल एवं बनावटीपन और मिथ्या अभिमान में इस कदर जकड़ लिया है कि हम सहज नहीं हैं। हमारी आपसदारी बाधित है। हमारे बीच भाईचारे का भाव-सेतु कमजोर है। शासन, प्रशासन और न्याय में अंग्रेजी का दबदबा होने से लोक और तन्त्र के बीच बिचौलियों की पैठ है। परिणामस्वरूप हमारे लोकतन्त्र की मूल प्रतिज्ञा प्रभावित है। व्यापक परिप्रेक्ष्य में हमारी एकता और अखण्डता प्रभावित है। कहने की जरूरत नहीं कि अंग्रेजी शासन और न्याय के मामले में जनता की सहभागिता के आड़े आती है। ऐसे में हिन्दी, जो निर्विवाद रूप से हमारी (भारत संघ की) प्रमुख राष्ट्रीय भाषा और राजकाज की भाषा है, का प्रयोग और प्रचलन बढ़ाना समय की माँग है।

किन्तु, भारत के मौजूदा परिदृश्य में यह अचानक से सम्भव नहीं होगा। यह सम्भव होगा भी तो अनुवाद के माध्यम से। अलबत्ता अनुवाद को भाषाई, सामाजिक और सांस्कृतिक सम्पर्क का सेतु मानने वाले अनुवादकगण समय की इस माँग को अपनी साधना से बहुत हद तक पूरा करने का यत्न कर रहे हैं। परन्तु संचारक्रान्ति और सूचनाविस्फोट के मौजूदा दौर में यह काम अब केवल मनुष्य के बल-बूते नहीं छोड़ा जा सकता। मशीन ट्रान्सलेशन की जरूरत आज जितनी है, उतनी पहले कभी नहीं थी। हिन्दी में और समूचे भारतीय परिदृश्य की बहुभाषिकता में मशीन ट्रान्सलेशन की संकल्पना जितनी जल्दी सफल होगी, भारत एक मुकम्मिल सूचनासमाज और ज्ञानसमाज बन पायेगा। तभी

भारत विकसित बन सकेगा। मशीन ट्रान्सलेशन के विकास में काम कर रहे वैज्ञानिकों, भाषाविज्ञानियों और उत्साही अधिकारियों एवं अनुवादकों को इसी आशा और उम्मीद से देखा जाना चाहिए।

पिछले दिनों में मशीन ट्रान्सलेशन के क्षेत्र में अनुसन्धान और विकास के काफी काम हुए हैं। अमेरिका की बहुराष्ट्रीय कम्पनी 'गूगल' ने 'गूगल ट्रान्सलेट' नाम से एक ऐसा टूल विकसित किया है, जिसके द्वारा छोटे-मोटे वाक्यों के ठीक-ठाक अनुवाद हो जाते हैं। फिलहाल यह टूल विश्व की 103 भाषाओं में अनुवाद सुलभ करा रहा है। इसमें हिन्दी सहित 11 भारतीय भाषाएँ भी शामिल हैं।

भारतीय परिदृश्य में भी सी-डैक, आईआईटी कानपुर, आईआईआईटी हैदराबाद, आई.आई.टी बीएचयू तथा कुछ विश्वविद्यालयों ने अलग-अलग रूप, विषय, आधार मानक, संरचना ढाँचा (पैराडिगम) से मशीन ट्रान्सलेशन के क्षेत्र में उपलब्धियों के उल्लेखनीय मुकाम हासिल किये हैं। इसमें प्रो. आर. एम. के. सिन्हा, प्रो. राजीव संगल, प्रो. के. के. शुक्ला, डॉ. हेमन्त दरबारी, डॉ. स्वर्णलता आदि के अवदान महत्त्वपूर्ण हैं।

भारत सरकार का इलेक्ट्रॉनिकी विभाग, राजभाषा विभाग तथा कतिपय अन्य उच्च अध्ययन केन्द्र एवं अकादमिक संस्थान भी इस दिशा में गम्भीर प्रयत्न कर रहे हैं। राजभाषा विभाग के अन्तर्गत 'हिन्दी प्रौद्योगिकी संसाधन केन्द्र' की स्थापना की गयी है। इस केन्द्र के द्वारा सी-डैक के माध्यम से 'कण्ठस्थ' नाम से एक मेमोरी बेस्ड ट्रान्सलेशन टूल के बीटा वर्जन पर केन्द्रीय अनुवाद ब्यूरो तथा कतिपय दूसरे विभागों एवं बैंकों के सहयोग से अंग्रेजी-हिन्दी अनुवाद का कॉर्पस विकसित करने का काम जोरों पर है।

इसबीच मशीन ट्रान्सलेशन के जरिये अंग्रेजी टैक्स्ट का जो हिन्दी अनुवाद सुलभ हो रहा है, उसे मुकम्मिल नहीं माना जा सकता। उसे पर्याप्त कहना भी गैर जिम्मेदाराना होगा। किन्तु हिन्दी में मशीन ट्रान्सलेशन की अभी तक की उपलब्धि भी कम महत्त्वपूर्ण नहीं है। मशीन ट्रान्सलेशन के क्षेत्र में देश के वैज्ञानिकों और अकादमिक संस्थानों के बीच लगातार हो रहे विमर्श, अनुसन्धान और कार्यशालाएँ इस बात के प्रमाण हैं कि हिन्दी में और अन्य भारतीय भाषाओं में मशीन ट्रान्सलेशन को सम्भव और सफल बनाने की बेचैनी है और इस दिशा में प्रयास किये जा रहे हैं। इसी का परिणाम है कि अंग्रेजी से हिन्दी में और

कुछ अन्य भारतीय भाषाओं में मशीन ट्रान्सलेशन के क्षेत्र में एक हद तक सफलता हासिल हुई है। अलबत्ता इस सफलता को अभी काफी लम्बा रास्ता तय करना है। तथापि उम्मीद जगी है कि हमारे वैज्ञानिकों और भाषा वैज्ञानिकों के सद्प्रयास से जल्दी ही हमें मशीन ट्रांसलेशन का एक ऐसा टूल मिल जायेगा, जिससे हम अपने दिनों, सप्ताहों और महीनों के काम यथासम्भव शीघ्र पूरा कर लेंगे। वैज्ञानिक प्रगति और प्रौद्योगिकी की क्षमता को देखते हुए यह कोई हवाई कल्पना नहीं है।

मशीन अनुवाद की सीमाओं के बावजूद, इससे दूर रहना और इसके अनुप्रयोग से बचना अब सम्भव नहीं है। 'रिअल टाइम ट्रान्सलेशन' के समय में भारत के विकास और भारतीय समाज में वैज्ञानिक चेतना के प्रसार के लिए विश्व की बड़ी भाषाओं में निरन्तर छपने वाले वैज्ञानिक उपलब्धियों के हजारों पृष्ठों में से हमारी जरूरत के लिहाज से प्रासंगिक पृष्ठों का त्वरित अनुवाद हमें चाहिए।

हमें समझना होगा कि अनुवाद केवल सर्जनात्मक साहित्य का ही नहीं होता। वैज्ञानिक एवं तकनीकी साहित्य का भी होता है। विकासशील समाज के लिए वैज्ञानिक एवं तकनीकी ज्ञान बेहद जरूरी है। इसे ऐसे साहित्य के अवगाहन के द्वारा ही पूरा किया जा सकता है। विकासशील समाज में ऐसे साहित्य के अभाव को अनुवाद पूरा करता है। ऐसे में मशीन ट्रान्सलेशन की भूमिका बड़ी हो जाती है।

भारत में अनुवाद के क्षेत्र में 'केन्द्रीय अनुवाद ब्यूरो' शीर्ष सरकारी संस्था है। कार्यालयी अनुवाद का कौशल-विकास-प्रशिक्षण प्रदान करने के मामले में तो ब्यूरो भारत सरकार की एकमात्र संस्था है। ब्यूरो में सरकारी कार्यालयों, प्रतिष्ठानों, वित्तीय संस्थानों आदि के कोड, मैनुअल, कार्यविधि साहित्य इत्यादि के अनुवाद होते हैं। ब्यूरो में स्थापना काल (01 अप्रैल, 1971) से अब तक 26 लाख से अधिक पृष्ठों की सामग्री के अनुवाद किये जा चुके हैं। ब्यूरो द्वारा अब तक विभिन्न मंत्रालयों, विभागों, निकायों, प्रतिष्ठानों आदि में कार्यरत 36 हजार से ज्यादा अधिकारियों, हिन्दी अनुवादकों और राजभाषा के कार्य से जुड़े कार्मिकों को अनुवाद में कौशल विकास के विभिन्न स्तरों के प्रशिक्षण भी दिये गये हैं। इस कड़ी में यदि विभिन्न विश्वविद्यालयों तथा स्वायत्त संस्थाओं द्वारा चलाये जा रहे अनुवाद डिप्लोमा कोर्स में उत्तीर्ण उपाधिधारकों की बात करें,

साथ ही विभिन्न संगठनों, निकायों, प्रतिष्ठानों आदि के स्तर से किये गये अनुवाद कार्यों को शामिल करें तो चर्चा दूर तक जायेगी।

फिर भी भारत में अनुवाद के क्षेत्र में माँग और पूर्ति में सन्तुलन नहीं है। इस मामले में देशभर में फैले सरकारी प्रतिष्ठानों और दूसरे संस्थानों के भी यही हाल हैं। अनुवाद की जितनी माँग है, उसकी पूर्ति नहीं हो रही है। जहाँ तक 'रीयल टाइम ट्रान्सलेशन' की बात है, मानव श्रम से यह कार्य सम्भव भी नहीं है। इसे मशीन ट्रान्सलेशन के द्वारा ही सम्भव किया जा सकता है।

यद्यपि मशीन ट्रान्सलेशन की सफलतम स्थिति में भी, मशीन से आउटपुट के रूप में प्राप्त होनेवाला अनुवाद कभी भी वैसा नहीं हो पायेगा, जैसा आदमी करता है। मशीन का अनुवाद वैसा ही होगा, जैसा मशीन का शब्दकोश और विश्लेषण – व्याकरण होगा। सर्वांग सम्पूर्ण होने पर भी मशीन किसी रचना की पुनर्रचना नहीं कर सकती। अनुवाद में पाठ या कथन के विश्लेषण के साथ-साथ अनुवादकर्त्ता के ज्ञान एवं अनुभव, चिन्तन और मनन तथा कल्पनाशीलता की महत्त्वपूर्ण भूमिका होती है। आदमी सृजन के समानान्तर सृजन कर लेता है। It was not to be happened के लिए 'काश ! ऐसा नहीं होता' या 'होनी के आगे किसकी चली है' अथवा 'विधाता को शायद यही मंजूर था' जैसा सृजन आदमी के ही वश में है। मशीन ऐसा नहीं कर सकती।

अनुवाद के सन्दर्भ में विचार करते हुए भूलना नहीं चाहिए कि भारत में सजर्नात्मक साहित्य के क्षेत्र में अनुवाद के प्रचुर काम हुए हैं और ये काम स्वतःस्फूर्त रूप में हुए हैं। विदेशी साहित्य के श्रेष्ठ सृजन को हिन्दी, बाँग्ला, उड़िया, तमिल, मलयालम, कन्नड़, मराठी, पंजाबी आदि भाषाओं में अनूदित करने के काम प्रायः साहित्यकारों ने किये हैं। केवल हिन्दी साहित्यकारों की ही बात करें तो भारतेन्दु हरिश्चन्द्र, रामचन्द्र शुक्ल, श्रीधर पाठक, प्रेमचन्द, मैथिलीशरण गुप्त, निराला, दिनकर, बच्चन, अमृत राय, भीष्म साहनी, मोहन राकेश, रांगेय राघव, रघुवीर सहाय, राजेन्द्र यादव, नीलाभ, उदय प्रकाश आदि से लेकर युवा पीढ़ी के साहित्यकारों तक की एक लम्बी श्रृंखला मिलती है, जिन्होंने स्वेच्छा से विश्व साहित्य की विभिन्न कालजयी रचनाओं के सुन्दर अनुवाद किये हैं। निश्चय ही इसके पीछे अन्य भाषाओं के श्रेष्ठ सृजन से अपनी भाषा को सम्पूरित करने का साधुभाव रहा है। परन्तु हाल के वर्षों में उपभोक्तावाद ने इस काम को गहरे रूप में बाधित किया है। प्राथमिकताएँ बदल गयी हैं।

अनुवाद अब दोयम दर्जे का काम समझा जाने लगा है। विदेशी रचनाओं का स्वतःस्फूर्त रूप से अनुवाद करने का सिलसिला कमजोर हुआ है।

तथापि आज के वैज्ञानिक युग में भारत जैसे विशाल आबादीवाले पारम्परिक समाज की प्रगति और विकास के लिए विज्ञान और प्रौद्योगिकी के रास्ते पर चलने के सिवा कोई दूसरा विकल्प नहीं है। लक्ष्य स्पष्ट है और साधन भी। विकास के लिए ज्ञानमार्ग पर चलने के वास्ते भारतीय समाज में वैज्ञानिक चेतना का विकास करना अपरिहार्य है। इसके लिए विज्ञान और तकनीक को साधना होगा। इनके प्रति लोगों की अभिरुचि जगानी होगी। वैज्ञानिक संकल्पनाओं की समझ विकसित करने के लिए व्यापक स्तर पर विज्ञान एवं अनुसन्धान का वातावरण निर्मित करना होगा। इस उद्‌देश्य से देसी भाषाओं में मूल वैज्ञानिक चिन्तन तथा लेखन शुरू करने होंगे। किन्तु उच्च अध्ययन के क्षेत्र में अंग्रेजी का प्रचलन होने के कारण इस उद्‌देश्य को प्राप्त करने में बाधा आती है। ऐसे में अनुवाद का सहारा बड़ा काम आता है। लक्ष्य की दिशा में आगे बढ़ने में, अर्थात् भारतीय जनमानस में वैज्ञानिक चेतना विकसित करने तथा स्वावलम्बी और आत्मनिर्भर समाज बनाने के लिए वैज्ञानिक तथा तकनीकी साहित्य को सुलभ बनाने वास्ते व्यापक पैमाने पर अनुवाद का सिलसिला शुरू करना होगा।

हमें ढ़ेर सारे उपयोगी और कार्यविधि-साहित्य का त्वरित और तत्काल अनुवाद लगातार चाहिए। हालाँकि हमारा समकालीन अनुवाद परिदृश्य कोई बहुत सुखद और सन्तोषप्रद नहीं है। यह परिदृश्य बहुआयामी जरूर है, परन्तु वस्तुगत और समयानुकूल हर्गिज नहीं है। हम अनुवाद का मतलब या तो पाठ का भाषान्तरण समझते हैं अथवा समानान्तर सृजन। भारत जैसे विकासशील समाज के लिए इसे व्यावहारिक नहीं माना जा सकता। अनुवाद उपयोगी साहित्य का भी होता है और ललित साहित्य का भी। दोनों के सरोकार अलग-अलग होते हैं। इसे समझना होगा और इस दिशा में व्यापक कदम उठाने होंगे। भारत के विकास के लिए ऐसा करना बेहद जरूरी है।

ध्यातव्य है कि वैज्ञानिक एवं तकनीकी क्षेत्र में वैश्विक प्रगति के साथ कदमताल करन के लिए अमेरिका जैसे विकसित देश में भी अंग्रेजी से भिन्न भाषाओं में लिखे जानेवाले वैज्ञानिक साहित्य के नियमित अनुवाद की सरकारी तथा गैरसरकारी स्तर पर व्यवस्था है। वहाँ की 'नेशनल साइंस फाउंडेशन' द्वारा

हर साल लगभग एक लाख पृष्ठों की वैज्ञानिक एवं तकनीकी सामग्री के अंग्रेजी अनुवाद प्रकाशित किये जाते हैं।

वैज्ञानिक लेखन संकल्पनात्मक लेखन होता है, जिसमें भाषा के सौन्दर्य तथा विन्यास के सौष्ठव की बहुत जरूरत नहीं होती। वैज्ञानिक विचारों और संकल्पनाओं की विशिष्ट प्रकृति के कारण उनके अंग्रेजी से तथा विदेशी भाषाओं से हिन्दी में अनुवाद करते समय व्यावहारिक समस्याएँ आती हैं। इन समस्याओं का निराकरण करते हुए अनुवाद करने के बजाय सरपट रूपान्तरण कर देने से प्रेषणीयता बाधित होती है। विषय का प्रतिपादन भी समुचित नहीं लगता। फलतः अनूदित सामग्री कृत्रिम लगती है। ऐसा अनुवाद पढ़ा नहीं जाता और इसका समाज के विकास में कोई योगदान भी नहीं होता।

वैज्ञानिक तथा तकनीकी साहित्य के अनुवाद में यथार्थ एवं स्पष्टता का होना महत्त्वपूर्ण होता है। इसके उलट सर्जनात्मक साहित्य में भाषागत एवं भावगत व्यंजना महत्त्वपूर्ण होती है। वैज्ञानिक साहित्य के विचारों तथा भावों का ही अनुवाद किया जाता है। ऐसे लेखन के शब्दों तथा वाक्य संरचना में अन्तर्निहित अर्थ को समझने के लिए विषय का समुचित ज्ञान जरूरी होता है। वैज्ञानिक साहित्य के अनुवाद में मूल पाठ के शब्द-प्रयोग एवं वाक्य-विन्यास के प्रति तटस्थ रहते हुए उन्हें अनूदित भाषा के स्वभाव में ढालना आवश्यक होता है। प्रसिद्ध वैज्ञानिक और अनुवादक थिओडोर सेवरी ने इस सन्दर्भ में बहुत ही मार्के की बात कही है। उनका कहना है—"अनुवाद के बारे में उन सभी मान्यताओं को वैज्ञानिक रचनाओं के अनुवाद में भी ज्यों-का-त्यों स्वीकार कर लेना चाहिए, जिनमें कहा गया है कि अनुवाद में मूल रचना जैसी सहजता होनी चाहिए। अनुवाद से यह पता नहीं चलना चाहिए कि कौन-सी कृति मूल है और कौन-सी अनुवाद।"

याद रखना होगा कि भारत की एकता में भारतीयों की भाषायी विविधता शक्ति का सम्बल बनती है न कि विखण्डन का कारण। हमारी भाषाओं की सजर्नात्मक उपलब्धि दुनिया के किसी भी भाषिक सृजन से किसी भी मामले में कम नहीं है। तथापि बहुभाषी भारत में परस्पर भिन्न भाषा-भाषी समाजों के बीच अपरिचय के कारण हम भारतीय अपनी भाषाओं और प्रान्तीयताओं की बहुत सारी अच्छाइयों से अपरिचित और अनभिज्ञ रह जाते हैं। इस अपरिचय को मिटाने और क्षेत्रों की हदबन्दी में जकड़े समाजों में आपसदारी और एक-दूसरे

की सांस्कृतिक उच्चता तथा एकता से परिचित होने में अनुवाद की सार्थक और रचनात्मक भूमिका होती है। इस सच्चाई को स्वीकार करना होगा। ऐसे में विदेशी भाषाओं से हिन्दी में एवं विभिन्न भारतीय भाषाओं में परस्पर अनुवाद का सक्षम और समर्थ तन्त्र कायम करना हमारी राष्ट्रीय जरूरत है। इस दिशा में गम्भीर पहल की दरकार है।

भारत के विकासशील समाज और उसकी सर्वतोन्मुखी आकांक्षाओं से अब आँखें नहीं चुराई जा सकतीं। भूमण्डलीकरण के दौर में अपने आसपास तथा बाकी दुनिया में फैले ज्ञान के प्रकाश से भी आँखें नहीं चुरायी जा सकतीं। ज्ञान-शक्ति के जमाने में भारत को विकसित समाज बनाने के लिए ज्ञान से गलबहियाँ करना बहुत जरूरी है। इस जरूरत को पूरा करने में अनुवाद का कोई विकल्प नहीं है। दुनिया के विकसित देशों ने अपने विकास में अनुवाद का भरपूर उपयोग किया है और वे ऐसा लगातार कर रहे हैं। विश्व शक्ति बनने की दहलीज पर खड़ा आज का भारत इससे बच नहीं सकता। और तो और, भारत में अनुवाद तन्त्र को उन्नत किये बिना हिन्दी संयुक्त राष्ट्र संघ की भाषा भी नहीं बन सकेगी।

अनुवाद : अनुसृजन की संस्तुति

अनुवाद अपने स्वरूप और सरोकार में एक आधुनिक अवधारणा है। अन्य भाषा-भाषी दुनिया और उसकी ज्ञानात्मक उपलब्धियों को जानना तथा उन्हें फिर से अपनी भाषा अर्थात् लक्ष्य भाषा में रूपान्तरित करना अनुवाद का स्वभाव होता है। परन्तु याद रहे कि अनुवाद रचना का शब्दशः रूपान्तरण नहीं है। अनुवाद मूल का लक्ष्य भाषा में पुनर्जीवन है। रूपान्तरण के जरिये मूल का पुनः प्रकटीकरण है। अनुवाद के माध्यम से मूल रचना दूसरी भाषा में परवर्ती जीवन पाकर अनश्वर बनती है। अतः यह कहना गलत नहीं होगा कि अनुवाद रचना का अनश्वर उद्यम है। वाल्टर बेंजामिन ने भी माना है कि अनुवाद स्त्रोतभाषा की रचना को लक्ष्यभाषा में जीवन प्रदान करता है। अस्तु अनुवाद मूल रचना का उत्तरजीवन है।

याद रखना होगा कि हमारी सभ्यता के तकाज़े के परिणामस्वरूप भाषाओं में संवाद का सिलसिला शुरू हुआ। यही भाषा-संवाद आगे चलकर अनुवाद कहलाया। इसीलिए अनुवाद को भाषा-सेतु अथवा भाषा-संवाद भी कहा जाता है।

किसी भाषिक पाठ का दूसरी भाषा में पुनर्भव होने अर्थात् कायापलट होने के कारण अनुवाद अपने आप में कलात्मक होता है। उसकी कला मूल भाषा पाठ के जैसा ही पाठ दूसरी भाषा में सृजित करने में निहित होती है। यह शिल्प और शैली से जुड़ा हुआ मामला है, जो मूल पाठ और अनूदित पाठ को अर्थ के साथ-साथ प्रभाव में भी एक जैसा होने की चाह लिये होता है। उदाहरण के लिये—

क. East or West home is the best - जहाँ है बसेरा, वहीं है सवेरा।

ख. Alls well that ends well – अन्त भला तो सब भला।

अनुवाद एक ही साथ आधुनिक और पारम्परिक दोनों होता है। इसे दूसरे शब्दों में कहें तो अनुवाद अपने अभिप्राय और सरोकार में जहाँ आधुनिक होता है, संरचना में बिल्कुल पारम्परिक। विभिन्न ज्ञानानुशासनों, समुदायों एवं सभ्यताओं के बीच संवाद जोड़ने का इसका उद्देश्य बड़ा साफ होता है। पारस्परिकता तथा प्रतिस्पर्द्धा वाली इस दुनिया में प्रगति और विकास के साथ कदमताल बैठाने के लिए यह दो भाषाओं के बीच संवाद के रूप में आकार पाता है। एक भाषा की ज्ञानोपलब्धि को इतर भाषा यानी परिचित भाषा में ढालकर जानने की उत्कट जिज्ञासा अनुवाद की जन्मदात्री होती है। ज्ञान, जिज्ञासा और उद्यम अर्थात् ज्ञान के प्रति जिज्ञासा और फिर उसके लिए उद्यम-आधुनिकता के यही तो तकाजे हैं। इसलिए यह कहना बिल्कुल सही है कि अनुवाद सरोकार के मामले में एक आधुनिक अवधारणा है। परन्तु दो भाषाओं की परिधि में सम्पन्न होने और एक भाषा पाठ को दूसरी भाषा पाठ के रूप में साकार करने के कारण संरचना में यह पारम्परिक है।

अनुवाद के आरम्भिक और अनगढ़ रूप से आधुनिक स्वरूप तक की विकास यात्रा वस्तुतः अनुवाद के स्वभाव में निहित नवोन्मेष तथा सृजनशीलता की यात्रा है। इसी स्वभाव के बल पर अनुवाद आज न केवल भाषाओं के बीच संवाद का माध्यम बना है, बल्कि दो भिन्न समुदायों, राष्ट्रीयताओं और देशों को समझने और उनके मत-मतान्तरों को जानने का जरूरी स्रोत भी बन गया है।

वैसे अनुवाद अपनी अन्तरभाषिक संवाद-शक्ति से विवाद की परतों में जाने तथा उसे समझने का अवसर सुलभ कराता है। इससे किसी विवाद के समाधान की राह तलाशने में सभ्य समाज को मदद मिलती है। इसका महत्तर रूप देशों और दूरियों में फैले भाषाई विविधता में अन्तर्निहित विच्छिन्नता और विषमता को पाटने और उनमें संवाद का सिलसिला शुरू करने में देखा जा सकता है।

संवाद अपने आप में एक आधुनिक प्रतीति है। इसका सरोकार ज्ञान का प्रसार करने और सहमति का वातावरण बनाने से जुड़ा होता है। अनुवाद में एक भाषा के ज्ञान को दूसरी भाषा में ढाला जाता है। इस ढालने की प्रक्रिया में ज्ञान पाठ या कथन के भाषाई कायान्तरण के जरिये पुनर्नवा बनता है। इसलिए अनुवाद को अक्सर सृजन का पुनर्सृजन कहा जाता है।

सर्जनात्मकता शुरू से अनुवाद की सफलता की कुंजी रही है। अनुवाद की सफलता पहले भी इस बात से नहीं आंकी जाती थी कि वह कितना मूलवत् है। अच्छा और सफल अनुवाद सदैव पाठ-भाषा के कलेवर से प्रस्थान होता है। उसका यह प्रस्थान मूल से निश्चित रूप से परिवर्तित और परिवर्द्धित होता है। उदाहरण के लिए : Man is a social animal – मनुष्य एक सामाजिक प्राणी है। Distant education for those who missed the bus– अवसर गँवा बैठे लोगों के लिए दूरस्थ शिक्षा शुरू की गयी।

उत्तरआधुनिकता ने अनुवाद में मूल से परिवर्तन तथा परिवर्द्धन की पारम्परिक धीमी प्रक्रिया को अचानक से तेज कर दिया है। भाषा-संरचना के लिए यह एक नया प्रस्थान है। इससे अनुवाद के चाल और चरित्र दोनों में बदलाव आया है। अनुवाद के नाम पर अब रूढ़ भाषान्तरण कोई नहीं चाहता। मूल लेखन जैसे प्रवाह और प्रभाव की माँग अब अनुवाद में भी की जाने लगी है। ऐसे अनुवाद अब होने भी लगे हैं। अलबत्ता साहित्यिक अनुवाद शुरू से ऐसे होते रहे हैं। विज्ञापन के अनुवाद में मूल से बेहतर रचने पर सदैव बल दिया जाता रहा है। परन्तु अब ज्ञान-विज्ञान के विभिन्न अनुशासनों से जुड़े लेखन के अनुवाद में भी सहजता और सर्जनशीलता पर जोर दिया जाने लगा है। जैसे : Natural environment is demanded every where these days इन दिनों नैसर्गिक पोषण के वातावरण की मांग चारों तरफ की जाने लगी है।

आज के सूचना-विस्फोट के दौर में भी अनुवाद सभ्यताओं के बीच आपसदारी कायम करने का जरूरी जरिया है। अकारण नहीं अनुवाद आज सभी के लिए, सभी भाषा-भाषियों के लिए तथा ज्ञान-विज्ञान के सभी अनुशासनों के लिए अपरिहार्य हो गया है। वैसे भी ज्ञान-विज्ञान के क्षेत्र में आये दिन जो नये-नये अनुसन्धान हो रहे हैं, उनसे परिचित होने के लिए अनुवाद हमारी जरूरत है। इसके बिना अद्यतन (up-to-date) बने रहना नामुमकिन है।

परन्तु अनुवाद को लेकर हमारे यहाँ का हाल बड़ा दिलचस्प है। यह मानने में कोई गुरेज नहीं होना चाहिए कि हमारी व्यवस्था हमारी जुबान नहीं जानती। यह परदेसी जुबान जानती है, क्योंकि वही जुबान उसकी आदत और अभ्यास है। ऐसी व्यवस्था में रहने और काम करने के लिए अनुवाद जरूरी हो जाता है। लेकिन जब हम अनुवाद करना शुरू करते हैं तो हम जो चाहते हैं, अर्थात् हमारी जो आकांक्षा होती है और जो वास्तविकता होती है, इन दोनों के बीच

दूरी बनी रहती है। इसी आकांक्षा और वास्तविकता की दूरी अनुवाद को मूल से दूर ले जाती। फलतः अनुवाद कृत्रिम, बोझिल और हास्यास्पद हो जाता है।

लेकिन अनुवाद बस इतना ही नहीं है। अनुवाद सृजन है। किसी भाषा-सृजन का दूसरी भाषा में पुनर्सृजन। सृजन अगर कृत्रिम लगने लगे तो यह उसकी कमी कदापि नहीं होती। कमी स्रष्टा की होती है। अनुवाद में अनुवादक स्रष्टा होता है। अनुवादकों को यह समझना चाहिए।

वैसे भाषा-सर्जना में किसी किस्म की कमी का एक कारण भाषा के उपादानों की कमी भी हो सकती है। वैज्ञानिक और तकनीकी साहित्य के अनुवाद में अवधारणावाची शब्दों की कमी बड़ी समस्या होती है। इस समस्या की पूर्ति प्रायः लिप्यन्तरण के सहारे की जाती है, जिससे अनुवाद की भाषिक संरचना कृत्रिम और अटपटी हो जाती है। एक उदाहरण देखेंः—

After reaching the level of prototype systems, the department is presently making efforts to upscale these technologies with the halp of industries. These givespace technologies are IGM mac ELISA for Dengue, JE and west Nile, haemagglutination of erythrocytes carrying 9-0- achlated derivatives of sialic acid for KalaAzar, PCR for tuberculosis, IFA for rabies, DAT for toxoplasmosis, ELISAs for reproductive hormones, test sytem for alpha-fetoproteins, acute lymphocytic leukaemia and species specific diagnostic for snake bites.

प्रोटोटाइप प्रणालियों के स्तर तक पहुँचने के बाद विभाग उद्योगों की मदद से इन तकनीकों के स्तर को बढ़ाने का प्रयास कर रहा है। ये प्रौद्योगिकी डेंगू के लिए ईग एम मैक एलिसा, काला अजार के लिए जेई तथा वेस्ट नाइल, सियालिक एसिड के 9-0 एसिलेटेड पदार्थ ले जाने वाले एरिथ्रोसाइट का हेमागग्लूटिनेशन, तपेदिक के लिए पी सी आर, रेबीज के लिए आई एफ ए, टोक्सोप्लाज्मोसिस के लिए डी ए टी, प्रजनन हार्मोनों के लिए एलीसा, अल्फा, फेटोप्रोटीनों के लिए परीक्षण प्रणाली, एक्यूट लिंफोसाइटिक ल्युकीमिया और सांप के काटने का प्रजाति विशेष आधारित निदान ढूंढने से सम्बन्धित हैं।

जाहिर है कि अनुवाद भाषा में होता है। इसलिए अनुवाद को भाषा-कर्म भी कहा जाता है। तो सवाल खड़ा होता है कि अनुवाद की भाषा ज्ञानानुशासन

के समान रहे या आम बोलचाल में ढले ? यानी भाषा को जनता के पास ले जाया जाये या जनता भाषा के पास जाये अथवा भाषा को जनता की जरूरतों के मुताबिक विकसित किया जाये ? आमतौर पर अनुवाद-कार्यों की अलोकप्रियता को देखते हुए यही लगता है कि जनता पर यह जिम्मेदारी डाल दी गयी है कि वह भाषा के अनुरूप अपने को ढाले और विकसित करे। निश्चय ही अनुवादजनित इस चुनौती से हम बच नहीं सकते।

तथापि अनुवाद को अगर हम रचना की अनुरचना मानते हैं तो यह जरूरी है कि अनुवाद को किसी किस्म का बोझ या ड्यूटी नहीं समझा जाये; बल्कि इसे मूल के जैसा सर्जनात्मक बनाने का प्रयास होना चाहिए। श्रेष्ठ अनुवाद का कौशल विकसित करना चाहिए। अनुवाद की श्रेष्ठता वास्तव में पाठ को लक्ष्य भाषा के कलेवर में नये सिरे से गढ़ना है। इस गढ़न में मूल की सपाटता, दुरूहता, अभिव्यंजना आदि का निराकरण और निर्वाह तथा लक्ष्यभाषा के प्रयोक्ता समाज की अपेक्षाओं का समाहार आदि सब-कुछ होता है। जाहिर है कि ऐसा अनुवाद पाठ को लक्ष्यभाषा के कलेवर से मुक्त कर उसे स्रोतभाषा के अनुरूप बनाकर ही सम्भव होता है। तभी अनुवाद-कर्म आनन्द का कर्म बन पाता है। इस आनन्द में पाठ के एक भाषा से मुक्त होने का भाव और दूसरी भाषा में फिर से जीवन धारण करने का विराट भाव निहित है। कहना न होगा कि ऐसा सृजन में ही होता है। इसीलिए अनुवाद को सृजन का सृजन अर्थात् पुनर्सृजन या अनुसृजन कहा जाता है।

अनुवाद : सिद्धान्तों के आईने में

अनुवाद केवल पाठ का ऊपर-ऊपर से अवलोकन करना और अनुरूपता-नियम के अनुसार भाषांतरण करना अर्थात् अर्थ और भाव की समानता के आधार पर दूसरी भाषा में अंतरण करना मात्र नहीं है। अनुवाद कहीं अधिक गहन विषयक्षेत्र है, जिसमें विश्लेषण, अन्तरण और पुनर्गठन की प्रक्रियाएँ महत्त्वपूर्ण होती हैं। वैसे भी विश्लेषण, अन्तरण और पुनर्गठन भाषिक पाठ के होते हैं और भाषिक पाठ मूलतः वैयक्तिक अभिव्यक्ति होता है। अतएव अनुवाद-अध्ययन का नज़रिया पूरी तरह से निर्वैयक्तिक अथवा वस्तुनिष्ठ नहीं हो सकता। अनुवाद कदाचित् 'जाकी रही भावना जैसी' होता है। इसमें अनुवादक के अनुभव, ज्ञान और सृजन-कौशल की छाप अन्तर्निहित रहती है। इसलिए अनुवाद का कोई सर्वसम्मत सिद्धान्त नहीं है। भाषा और अभिव्यक्ति के अर्थ, शैली, प्रभाव, व्याख्या और सांस्कृतिक दृष्टिकोण ने अनुवाद के सिद्धान्तनिरूपण को अपने-अपने ढंग से प्रभावित किया है। यही कारण है कि अनुवाद-अध्ययन के कई सिद्धान्त मिलते हैं। ये सिद्धान्त मात्र श्रेय लेने के उद्‌देश्य से गढ़े गये कोरे सिद्धान्त नहीं हैं, बल्कि अनुभव और विषय-विश्लेषण के परिणामस्वरूप निरूपित सिद्धान्त हैं। ये सिद्धान्त इस प्रकार हैं—

1. अर्थ सम्प्रेषण का सिद्धान्त

(Theory of Communication of Meanings)

इस सिद्धान्त के प्रणेता डॉ. सैमुअल जॉनसन तथा ए.एच. स्मिथ हैं। ये दोनों ब्रिटेन के भाषा विज्ञानी थे। अपने विविध अनुवाद कार्यों के क्रम में इन भाषाविज्ञानियों ने महसूस किया कि अनुवाद में प्राथमिक तथा महत्त्वपूर्ण भूमिका अर्थ की होती है। अर्थ यानी स्रोतभाषा के पाठ का अर्थ। डॉ. जॉनसन के अनुसार किसी भाषिक कथन का सन्देश अथवा अभिप्राय उसके अर्थ में निहित

होता है। इसलिए अनुवाद पाठ का नहीं, पाठ के अर्थ का होता है। पाठ के शब्दों, वाक्यों आदि के जो अर्थ होते हैं, लक्ष्यभाषा में उन्हें ही अन्तरित किया जाता है। इसमें शब्दों, पदबन्धों अथवा समग्र वाक्य का अन्तरण नहीं किया जाता है। इसलिए डॉ. जॉनसन और स्मिथ ने अर्थसम्प्रेषण के सिद्धान्त का तर्क रखा। जॉनसन के अनुसार—

"To translate is to change into another language retaining the sense."

अर्थात् "अनुवाद मूल के अर्थ को बरकरार रखते हुए उसे अन्य भाषा में अन्तरित करना है।"

जाहिर है कि जॉनसन के लेखे अर्थ के अन्तरण का मतलब स्रोतभाषा के पाठ के अर्थ का लक्ष्यभाषा में सम्प्रेषण से है। जैसे–

When you offer a translation to a nation, the nation will almost always look on the translation as an act of violence against itself.

(जब आप किसी राष्ट्र को कोई अनुवाद पढ़ने के लिए देते हैं तो आप मानें या न मानें राष्ट्र उसे अपनी अस्मिता पर हमले के रूप में लेता है।)

जाहिर है कि उक्त अंग्रेजी पाठ का जो अर्थ निकलता या आभासित होता है, अनुवाद में उसी को प्रस्तुत करने की चेष्टा होनी चाहिए। चेष्टा इसलिए कि भाषाओं की दुनिया स्वयं में इतनी अर्थगर्भित तथा सर्जनात्मक होती है कि किसी भाषिक पाठ का शाब्दिक अर्थ और आभासित अर्थ सदैव एक समान नहीं होता। वैसे भी किसी पाठ में प्रयुक्त सारे शब्दों के कोशगत अर्थ के प्रति अडिग रहते हुए अनुवाद करने से उसके (अनुवाद के) कृत्रिम या यान्त्रिक होने की सम्भावना बढ़ जाती है। ऐसा भाषाओं के बीच पाये जानेवाले शाब्दिक तथा संरचनागत अन्तर के कारण होता है। अतः अनुवाद करते समय सुधी अनुवादकर्त्ता पाठ के सामान्य अर्थ तथा आभासित अर्थ की पहले पड़ताल करता है, फिर आगे बढ़ता है।

डॉ. जॉनसन की मानें तो स्रोतभाषा के पाठ का जो अर्थ निष्पन्न होता है, उसे ही लक्ष्यभाषा में अनूदित करते हुए सम्प्रेषित करने की चेष्टा की जाती है। इस तरह के अनुवाद में पाठ के भाव, शैली आदि पर ध्यान नहीं दिया जाता। ऐसा अनुवाद अर्थ के इकहरे रूपान्तरण का उदाहरण होता है। अनुवाद में प्रायः

ऐसे ही उदाहरण देखने-पढ़ने को मिलते हैं। इसलिए अनुवाद में अर्थसम्प्रेषण के सिद्धान्त की मान्यता है और प्रसिद्धि भी।

हालाँकि इस सिद्धान्त की सीमा का अन्दाज़ा इसके सिद्धान्तकारों को भी था। इसीलिए इसके पैरोकार डॉ. ए. एच. स्मिथ को कहना पड़ा –

"To translate is to change into another language retaining as much as of the sense as one can"

अर्थात्, "अनुवाद का तात्पर्य है यथासम्भव अर्थ को बरक़रार रखते हुए अन्य भाषा में अन्तरण करना।"

वैसे अनुवाद सिद्धान्तों की श्रेणी में यह सिद्धान्त प्राथमिक है। इस प्राथमिक सिद्धान्त ने आगे चलकर अनुवाद चिन्तन को गहरे रूप में प्रभावित किया। परिणामस्वरूप अनुवाद अध्ययन के क्षेत्र में कई महत्त्वपूर्ण सिद्धान्त निरूपित हुए, जिनकी चर्चा आगे की जायेगी।

2. व्याख्या का सिद्धान्त (Theory of interpretation)

कतिपय यूरोपीय विद्वानों की राय में अनुवाद एक व्याख्या है (Translation is an interpretation.)। भाषावैज्ञानिक रोमन जैकब्सन, जेम्स होम्स और ई. एम. मैदनिकोवा के विचार में कथन का अभिप्राय या मूल सत्त्व (Essence) पाठ की व्याख्या से निकलता है। वैसे भी किसी भाषा के किसी कथन का, दूसरी भाषा में रूपान्तरण सर्वदा सहज नहीं होता। भाषाओं के शब्द, पदबन्ध, वाक्य, मुहावरे, व्याकरणिक नियम, शैली आदि एक-दूसरे से काफी भिन्न होते हैं। इन घटक-अवयवों से भाषाओं का स्वभाव निर्मित होता है। किन्हीं दो भाषाओं के इन घटक-अवयवों का मिलान अथवा सामंजस्य प्रायः दुर्लभ होता है। इसलिए किसी भाषा के किसी कथन को दूसरी भाषा में पुनः प्रस्तुत करना सरल नहीं होता। अनुवादक या तो भावार्थ से काम लेता है अथवा व्याख्या करता है। इसी तर्क के आधार पर इन भाषावैज्ञानिकों ने अनुवाद में व्याख्या के सिद्धान्त का प्रतिपादन किया है। इनके अनुसार, "translation is an act of interpretation." जैसे— The Child is the father of the man. यदि इस वाक्य का अनुवाद करना पड़े तो कठिनाई होगी, क्योंकि अनुवाद शब्दान्तरण या वाक्यान्तरण मात्र नहीं होता। अनुवाद पाठ के अर्थ और भाव का समग्र रूपान्तरण होता है। अनुवाद में पाठ का प्रभाव भी विचारणीय होता है। इस दृष्टि से ऊपर के अंग्रेजी

कथन का अनुवाद "बालक मनुष्य का पिता होता है" यदि किया जाये तो यह शब्दान्तरण मात्र होगा, अनुवाद कदापि नहीं। इस अंग्रेजीवाक्य के अनुवाद में व्याख्या से ही सहायता मिलेगी। व्याख्या में भावों की प्रधानता होती है। इसलिए ऐसे पाठ के अनुवाद में भावानुवाद की सहायता लेनी पड़ती है। इसीलिए अनुवाद में भावानुवाद की प्रधानता मानी जाती है। जेम्स होम्स के अनुसार – "All translation is an act of critical interpretation".

अर्थात्, "अनुवाद एक प्रकार से आलोचनात्मक व्याख्या है।"

वैसे भी अनुवाद में पाठ के अर्थ और शैली के रूपान्तरण को प्रश्रय दिया जाता है। नाइडा का सिद्धान्त इसीलिए चर्चित है। अनुवाद में किसी पाठ के अर्थ और शैली को लक्ष्यभाषा में सुरक्षित रखने की जब चेष्टा की जाती है, तब पाठ की व्याख्या से ही काम लेना पड़ता है। इस तरह से अनुवाद में कभी-कभी स्रोतभाषा के कथन का लक्ष्यभाषा में रूपान्तरण करते समय पाठ की व्याख्या अपरिहार्य हो जाती है। अनुवाद में व्याख्या का सिद्धान्त इसी वजह से प्रचलित हुआ और प्रसिद्ध भी। रोमन जैकब्सन का कथन है- "Translation proper or interlingual translation is an interpretation of verbal signs by means of signs in some other language." अर्थात्, "अनुवाद एक भाषा के शाब्दिक प्रतीकों की अन्य भाषा के शाब्दिक प्रतीकों द्वारा व्याख्या है।"

3. प्रभावसमता का सिद्धान्त (Theory of equal effect)

ब्रिटिश भाषावैज्ञानिक टैंकॉक इस सिद्धान्त के प्रणेता हैं। उनके अनुसार "In a translation, the style and manner of writing should be of the same character as that of the original."

अर्थात्, "अनुवाद किसी एक भाषापाठ की शैली और प्रभाव-समग्र का दूसरी भाषा में पुनर्स्थापन है।"

स्पष्ट है कि अनुवाद 'मक्षिका स्थाने मक्षिका पातः' नहीं है। अनुवाद किसी एक भाषा के कथन के अर्थ और समग्र प्रभाव का दूसरी भाषा में पुनःस्थापन है। इसमें स्रोतभाषा के कथन की लक्ष्यभाषा में पुनर्प्रस्तुति की जाती है और यह पुनर्प्रस्तुति प्रभाव के मामले में बिल्कुल मूल-जैसी होती है। ऐसा ही अनुवाद सफल माना जाता है। जैसे – "I am extremely hungary." इस वाक्य का

अनुवाद हिन्दी में 'मैं बहुत भूखा हूँ' या 'मैं अत्यन्त भूखा हूँ' होगा। इसमें मूलपाठ और अनूदित पाठ के प्रभाव एकसमान प्रतीत होते हैं। किन्तु अंग्रेजीवाक्य का अनुवाद यदि हिन्दी मुहावरे के साथ 'मेरे पेट में चूहे दौड़ रहे हैं' किया जाये तो उपयुक्त नहीं होगा, क्योंकि अंग्रेजी कथन के प्रभाव की तुलना में मुहावरे के प्रयोग से हिन्दी अनुवाद का प्रभाव मूल से बीस हो जाता है।

स्मरणीय है कि काल और परिस्थिति के अनुसार भाषा में शब्दों के अर्थ का प्रभाव उन्नीस-बीस होता रहता है। परन्तु टैंकॉक के अनुसार अनुवाद भाषान्तरण में उन्नीस-बीस का खेल नहीं है। अनुवाद समान भाषान्तरण की प्रक्रिया है। इसमें अनुवादक को अपनी प्रतिभा, अनुभव और कल्पना से काम लेना होता है तथा यह सुनिश्चित करना होता है कि अनूदित पाठ प्रभाव के मामले में मूलपाठ-जैसा ही बने। जाहिर है कि इसके लिए अनुवादक को कभी-कभी मूल पाठ की सीमा का किंचित् अतिक्रमण करना पड़ता है। अनूदित पाठ में कल्पना के सहारे कुछ जोड़ना या छोड़ना होता है। अनुवाद चूँकि सृजन का अनुसृजन होता है, इसलिए ऐसा करना उचित है। इसे एक अन्य उदाहरण से भी समझने का प्रयास करेंगे। जैसे—The time has not ripen to ink nuclear pact. इस अंग्रेजी वाक्य के अनुवाद में ripen और ink शब्दों के सरलार्थ लेने से काम नहीं चलेगा। परमाणु समझौते के सिलसिले में कुछ कच्चा-पक्का नहीं होता। न ही ink के अर्थ में स्याही की कोई अर्थसंगति है। इस कथन का सामान्य अनुवाद होगा–"परमाणु समझौते का समय अभी नहीं आया है।" यह सामान्य रूपान्तरण ही मूल कथन के जैसा प्रभाव व्यंजित करता है। इस दृष्टि से अनुवाद में मूलकथन के प्रभाव की व्यंजना महत्त्वपूर्ण होता है, न कि शब्दों के अर्थ और उनके प्रयोग। निश्चय ही ये बातें तर्कसंगत हैं और टैंकॉक अपने इस सिद्धान्त में अनुवाद के मामले में एक युक्तिपरक अवधारणा रचते हैं। इसलिए अनुवाद में प्रभावसमता का सिद्धान्त महत्त्वपूर्ण माना जाता है।

4. सांस्कृतिक सन्दर्भों के एकीकरण का सिद्धान्त

(Theory of unification of cultural contexts)

इस सिद्धान्त के प्रस्तोता समाजशास्त्री और भाषा वैज्ञानिक जे. आर. फिर्थ, आर. एच. रॉबिन्स और एम. ए. के. हॉलिडे हैं। इन विद्वानों के अनुसार भाषा

में समाज तथा जातीय जीवन की संस्कृतियाँ अभिव्यक्त होती हैं एवं संरक्षित रहती हैं। भाषा में संस्कृतियाँ अपने ढंग से तथा यथापेक्षा मुखर एवं अंतर्निहित होती हैं। भाषा को संस्कृति का संवाहक इसीलिए कहा जाता है। चूँकि भाषा समाज की होती है, समाज में वह पल्लवित-पुष्पित होती है और समाज से अपनी अभिव्यक्ति का आधार प्राप्त करती है; इसलिए जैसी संस्कृति होती है, जैसे लोक के तीज-त्योहार होते हैं, भाषा के शब्द और उसकी संरचना वैसी ही होती हैं। इसलिए हर भाषा के अलंकार, मुहावरे और लोकोक्तियाँ ख़ास और निजी होते हैं। फिर्थ का मानना है कि किसी एक भाषा के सांस्कृतिक कथन का दूसरी भाषा में हू-ब-हू तर्जुमा नहीं हो सकता। तर्जुमा के लिए या तो कथन के भाव को आधार बनाना पड़ेगा अथवा व्याख्या का सहारा लेना होगा। ऐसे में किसी एक भाषा के सांस्कृतिक कथन अथवा लोकोक्ति, मुहावरे का अनुवाद दूसरी भाषा में उसके सांस्कृतिक कथन अथवा लोकोक्ति, मुहावरे के द्वारा ही किया जा सकता है। अनुवाद के सफल और सटीक होने के लिए ऐसा करना ज़रूरी है, अन्यथा अनुवाद अर्थान्तरण बन जाता है। ऐसा अनुवाद मूल के जैसा प्रभाव उत्पन्न नहीं कर पाता। जैसे—To kill two birds with one stone, Birds of same feather flock together, Herculean task आदि।

कहना न होगा कि उदाहरण के वाक्य अंग्रेजी के मुहावरे हैं और इनमें अंग्रेजी जीवन एवं समाज की अभिव्यक्ति है। भारतीय भाषाओं अथवा हिन्दी में इनका अनुवाद करते समय निश्चय ही भारतीय जीवन और समाज के कथन और मुहावरों को अपनाना पड़ेगा। शब्दानुवाद निष्फल होगा। ऐसे कथन का अंग्रेजी से हिन्दी में सामान्य अनुवाद करने का प्रयास निष्प्रभावी होगा। अंग्रेजी के मुहावरे को भारतीय लोकजीवन में प्रचलित मुहावरे से ही विस्थापित करना उचित और सार्थक होगा। फिर्थ, रॉबिन्स और हॉलिडे के प्रस्तुत तर्क में अनुवाद की सार्थकता और जीवन में उसकी स्वीकृति की चिन्ता मुख्य थी। इसलिए उन्होंने सांस्कृतिक कथनों की एकरूपता को अनुवाद के लिए जरूरी माना। सांस्कृतिक सन्दर्भों के एकीकरण का सिद्धान्त इसलिए प्रचलन में आया।

वैसे तो अनुवाद के प्रसंग में सांस्कृतिक सन्दर्भों के एकीकरण की उपादेयता को नकारा नहीं जा सकता। किन्तु याद रहे कि किसी भी भाषा में रोजमर्रा की भाषिक अभिव्यक्तियाँ और सामान्य कथन तथा विषय-विशेष से

सम्बन्धित पाठ महत्त्वपूर्ण होते हुए भी सांस्कृतिक अभिव्यक्ति या सन्दर्भ नहीं होते। अतः सामान्य कथन और विषय-विशेषवाले पाठों का अनुवाद करते समय सचेतन रूप से सांस्कृतिक सन्दर्भों की एकता ढूंढने और जोड़ने के बजाय अन्य तरीकों का सहारा लेना ही उचित होता है।

5. पुनर्कोडीकरण का सिद्धान्त (Theory of recodification)

अमेरिका के भाषावैज्ञानिक विलियम फ्राउले इस सिद्धान्त के जनक हैं। उन्होंने भाषा को, भाषा की समस्त शाब्दिक संरचना तथा वाक्यसंरचना को अंकीय आधार पर संकेतों (Codes) में ढालने की अवधारणा प्रस्तुत की है। फ्राउले ने इस हेतु कम्प्यूटर की कार्यप्रणाली से भाषिक संरचना को जोड़ने का तर्क दिया है। इस तर्क से सभी भाषाओं का अंकीय सूत्र निरूपित हो सकता है और हुआ भी है। उन्होंने इसके लिए भाषा की सबसे छोटी इकाई अक्षर को आधार बनाया और अक्षरों के अंकीय निर्धारण की बात कही। इससे किसी भी भाषा के समस्त अक्षरों, अक्षरों से बने शब्दों, पदबन्धों, वाक्यों आदि का अंकीय आँकड़ा (Data) तैयार किया जा सकता है। फ्राउले ने इसे Data matrix का नाम दिया है।

फ्राउले के अनुसार, अनुवाद के क्रम में स्रोतभाषा और लक्ष्यभाषा का अलग-अलग Data matrix यदि बना लिया जाये तो आंकड़ों या अंकों के माध्यम से, भाषा के शब्दों और उनके अर्थों में समानता, समरूपता और पर्याय का निर्धारण किया जा सकता है। इस तरह से किसी भी भाषा के कथन का कोडीकरण करके और फिर उसका दूसरी भाषा के कोड में रूपान्तरण करके अनुवाद प्राप्त किया जा सकता है। इस सिद्धान्त में एक भाषिक कोड का दूसरे समतुल्य भाषिक कोड से सम्बन्ध-स्थापन कराना और पुनः उसे, अर्थात् दूसरे भाषिक कोड को भाषिक संरचना में बदलना ही पुनर्कोडीकरण है। इस तरह के अनुवाद में सहजता हो या न हो, शाब्दिक सटीकता की सम्भावना रहती है। कम्प्यूटर-आधारित मशीन अनुवाद की संकल्पना इसी सिद्धान्त से साकार हुई। इसमें कम्प्यूटर सॉफ्टवेयर प्रोग्रामिंग के माध्यम से एक भाषा के पाठ का लक्ष्यभाषा में अनुवाद प्राप्त किया जाता है।

मशीन ट्रान्सलेशन को सफल बनाने के लिए वैज्ञानिकों और भाषाविज्ञानियों ने कई विधियाँ अपनाई हैं। इन्हीं में एक प्रचलित विधि 'स्मृति आधारित अनुवाद' (Memory Based Translation) है। इस विधि में दो भाषाओं के

समतुल्य शब्दों, अभिव्यक्तियों, वाक्यों आदि के असंख्य उदाहरणों की निधि (Corpus) कम्प्यूटर की मेमोरी में निर्मित और संचित की जाती है। अनुवाद के क्रम में कम्प्यूटर इसी निधि से किसी पाठ का संभावित भाषान्तरण सुलभ कराता है। 'गूगल ट्रान्सलेट' इसी विधि से काम करता है। भारत में भी केन्द्रीय सरकार के राजभाषा विभाग (गृह मंत्रालय) ने सी-डैक के सहयोग से 'कण्ठस्थ' नाम से एक सॉफ्टवेयर विकसित कराया है, जिसमें हिन्दी-अंग्रेजी में द्विभाषिक अनुवाद की सुविधा है।

भूमण्डलीकरण और सूचनाक्रान्ति के आज के समय में ज्ञान की शक्ति सर्वोपरि हो गयी है। प्रौद्योगिकी के सहारे ज्ञान की शक्ति से आज वह सब कुछ हासिल किया जा सकता है, जो मनुष्य के लिए कभी अकल्पनीय था। यही कारण है कि अब त्वरित और तत्क्षण अनुवाद (Real Time Translation) की माँग की जाने लगी है और कतिपय मामलों में इस माँग की पूर्ति भी होने लगी है। कहना न होगा कि अनुवाद के पुनर्कोडीकरण-सिद्धान्त से विकसित मशीन ट्रान्सलेशन से यह सम्भव हो रहा है। दूसरे शब्दों में कहें तो Real Time Translation की संकल्पना और सफलता का जनक अनुवाद का यही सिद्धान्त है।

हालांकि मशीन ट्रान्सलेशन के पुनरीक्षण (vetting) के लिए मनुष्य की महत्ता सदैव बनी रहेगी। कारण कि अनुवाद एक भाषिक अभिव्यक्ति का दूसरी भाषिक अभिव्यक्ति में सटीक रूपान्तरण मात्र नहीं है। अनुवाद सृजन है। सृजन का पुनःसृजन। सृजन मशीन के वश का नहीं है। इसके लिए मनुष्य की आवश्यकता निरन्तर बनी रहेगी। वैसे विभिन्न संगठनों एवं कार्यालयों और बैंकों के वार्षिक प्रतिवेदन, वार्षिक तुलनपत्र (Balance Sheet) आदि के अनुवाद के लिए मशीन ट्रान्सलेशन का अब व्यापक पैमाने पर उपयोग किया जाने लगा है। जाहिर है, मशीन ट्रान्सलेशन का प्रयोग जैसे-जैसे सफल होता जायेगा, विश्वग्राम के मौजूदा दौर में Real Time Translation के मद्देनजर इस सिद्धान्त की महत्ता बढ़ती जायेगी।

6. समतुल्यता का सिद्धान्त (Theory of Equivalence)

अनुवाद का यह सिद्धान्त अत्यन्त महत्त्वपूर्ण तथा सर्वाधिक लोकप्रिय है। इस सिद्धान्त के प्रणेता प्रो. जे. सी. कैटफोर्ड और यूजीन (Eusin) ए. नाइडा हैं। यूरोपीय भाषावैज्ञानिक फॉरेस्टन (Foresten) जब अनुवाद को 'एक भाषा

में व्यक्त विचारों को यथासम्भव समान और सहज अभिव्यक्ति द्वारा दूसरी भाषा में व्यक्त करने का प्रयास' बता रहे थे, तो वे अनुवाद को अपने ढंग से समझने और समझाने का ही प्रयास कर रहे थे। फॉरेस्टन के विचारानुसार—

"Translation is the transference of the content of a text from one language into another, bearing in mind that we cannot always dissociate the content from the form."

निश्चय ही फॉरेस्टन अपनी इस परिभाषा में अनुवाद की एक व्यावहारिक समझ प्रस्तुत कर रहे थे। परन्तु, अनुवादशास्त्र की व्यावहारिकता यहाँ भी पूरी तरह से उद्घाटित नहीं हो रही थी, क्योंकि अनुवाद के अन्तरभाषिक (Inter-lingual) होने के बावजूद भाषाओं की आपसी भिन्नता यथावत् रहती है, अर्थात् किन्हीं दो भाषाओं के शब्द, वाक्य-विन्यास आदि एकसमान नहीं होते। एक ही अर्थ का बोध करानेवाले शब्द दूसरी भाषा में अनूदित होने पर अर्थ का अन्तर प्रस्तुत करने लगते हैं। इसलिए मूलपाठ और अनूदित पाठ समरूप (Identical) नहीं होते। भाषाओं की पारस्परिकता चूँकि समतुल्य होती है, इसलिए अनुवाद भी समतुल्य होते हैं।

अनुवाद के इस अभिलक्षण को कैटफोर्ड और नाइडा ने समझा। कैटफोर्ड कहते हैं—"अनुवाद एक भाषा की पाठ्यसामग्री का दूसरी भाषा की पाठ्यसामग्री के रूप में समतुल्यता के आधार पर प्रतिस्थापन है"

"Translation is the replacement of textual material in one language by equivalent textual material in another language."

जाहिर है कि प्रो. कैटफोर्ड अनुवाद में समतुल्यता को पहली बार उद्घाटित कर रहे थे। अतः उनका चिन्तन काफ़ी लोकप्रिय हुआ। किन्तु अनुवाद की बारीकियाँ कैटफोर्ड की परिभाषा में भी पूरी तरह स्पष्ट नहीं हो पायीं। इसका श्रेय नाइडा को जाता है। नाइडा ने अपने चिन्तन में पहली बार यह उद्घाटित किया कि "अनुवाद का सम्बन्ध स्रोतभाषा के सन्देश का पहले अर्थ और फिर शैली के धरातल पर लक्ष्यभाषा में निकटतम, स्वाभाविक तथा तुल्यार्थक (Equivalent) पाठ प्रस्तुत करने से है।"

"Translating consists in producing in the receptor language the closest natural equivalent to the message of the source language, first in meaning and secondly in style."

स्पष्ट है कि कैटफोर्ड जहाँ पाठ्यसामग्री की समतुल्यता चाहते हैं, वहीं नाइडा पाठ में निहित अर्थ और उसकी शैली के तुल्यार्थक उपादान प्रस्तुत करने पर बल देते हैं। साफ है कि भाषाओं का बीच शाब्दिक, संरचनागत तथा शैलीगत अन्तर होने के कारण अनुवाद में कथन सम्बन्धी समरूपता का निर्वाह नहीं होता, बल्कि समतुल्यता ही हो पाती है। परन्तु यह समतुल्यता भी बड़ी विचित्र प्रकृति की होती है, जैसे- I met her, मैं उससे मिला। किन्तु I met her का अनुवाद क्या 'मैं उससे मिला' ही होगा? अंग्रेजी के इस छोटे से वाक्य के कई हिन्दीरूप बनते हैं। फिर भी कई पहलू अस्पष्ट रह जाते हैं। यह अस्पष्टता अंग्रेजी और हिन्दी भाषाओं की विशिष्ट प्रकृति के कारण होती है। इसलिए I met her का चाहे जितने अनुवाद किये जायें, वे समरूप नहीं होते, समतुल्य ही होते हैं। जैसे I met her – (1) मैं उससे मिला, (2) मैं उनसे मिला, (3) मैं उससे मिली, (4) मैं उनसे मिली आदि।

परन्तु समतुल्यता का आधार भी एक प्रकार का नहीं होता। भिन्न-भिन्न अनुवाद प्रकारों में यह समतुल्यता भिन्न रूप में दिखाई पड़ती है। जैसे-कहीं शाब्दिक समतुल्यता तो कहीं भावगत समतुल्यता। कहीं-कहीं प्रतीकात्मक और शैलीगत समतुल्यता भी अनुवाद में मुखर होती है। जैसे --

शाब्दिक समतुल्यता

Fresh	-	ताज़ा, सहज
Fresh	-	चुस्त, फुर्तीला
Fresh	-	शुद्ध, स्वच्छ
Fresh	-	कच्चा
Fresh	-	अनुभवहीन, ढीठ
पृथ्वी	-	Earth
वसुन्धरा	-	Earth
रत्नगर्भा	-	Earth
इहलोक	-	Earth

पदबंधगत समतुल्यता

बचत बैंक	-	Saving Bank
काला बाजार	-	Black market
सफेद कॉलर	-	White Collar

लौह पुरुष	-	Iron man
दृढ़ इच्छा	-	Iron Will

भावगत समतुल्यता

To become shameless	-	आँख का पानी उतर जाना
To kill two birds with one stone	-	एक पन्थ दो काज
A drop in the Ocean	-	ऊँट के मुँह में जीरा

प्रतीकात्मक अनुवाद

The present system has rotten.

It should immediately be changed.

अब तो इस तालाब का पानी बदल दो

ये कमल के फूल कुम्हलाने लगे हैं।

शैलीगत समतुल्यता

The Chairperson has kept his card close to his chest.

अध्यक्ष ने अभी अपने पत्ते नहीं खोले हैं।

The miscreants exploited the accident.

उपद्रवियों ने दुर्घटना का लाभ उठाया।

इस तरह से स्पष्ट होता है कि अनुवाद में समतुल्यता कई-कई रूपों में चरितार्थ होती है। अनुवाद समरूप नहीं होता, इसलिए कि भाषाएँ समरूप नहीं होतीं। अनुवाद की यह विशिष्टता अनुवादकर्त्ता के लिए हमेशा से यक्षप्रश्न बनती रही है। फिर भी अनुवाद का सिलसिला कभी थमा नहीं है। अनवरत जारी है। मनुष्य की जिज्ञासा जब तक रहेगी, अपनी तमाम स्वाभाविक जटिलताओं के बावजूद अनुवाद सर्वदा आकर्षण और चुनौती का विषय बना रहेगा। सूचनाक्रान्ति और ज्ञानशक्ति के मौजूदा दौर में तो और भी ज्यादा।

अनुवाद में सृजनशीलता

सृजन का अभिप्राय आमतौर पर साहित्य अथवा कला के विभिन्न रूपों से लिया जाता है। सृजन में नवीन और मौलिक उद्भावना की अभिव्यक्ति होती है। कला के विविध रूपों का बखान भाषा में होता है, जैसे – नृत्यकला के आंगिक भावों का बखान या चित्रकला की सुन्दरता का वर्णन अथवा संगीतकला की अभिव्यक्ति। इन सभी का माध्यम भाषा बनती है। सृजन का श्रेष्ठतम रूप साहित्य भी भाषा में ही रचा जाता है। संस्कृत के आचार्यों ने भी काव्य को कला का परिपाक माना है। काव्य, संस्कृत का विशिष्ट शब्द है, जिसके अन्तर्गत कविता और गद्य दोनों आते हैं। रामायण ही नहीं, कादम्बरी भी संस्कृत का महाकाव्य है, जो बाणभट्ट की गद्यकृति है।

अनुवाद के प्रसंग में सृजन अथवा अनुवाद में सृजनशीलता का मतलब अनुवाद की सहजता, स्वाभाविकता एवं सुघड़ता से है ताकि वह पठनीय हो, मौलिक रचना प्रतीत हो और उससे रसबोध हो। किन्तु अनुवाद को मौलिक रचना के सदृश्य बनाना एवं उससे रसबोध कराना आसान नहीं होता। इसीलिए सर्जनात्मक कृतियों का अनुवाद मानव बुद्धि और मेधा के लिए शुरू से चुनौती का विषय रहा है। वैसे भी सृजन हमेशा रचनाकार की अन्तश्चेतना की उद्भावना होता है, जिसे सर्जक अपनी प्रतिभा और कल्पना के द्वारा भाषा में साकार करता है। प्रत्येक सृजन का एक सर्जक होता है और उसकी एक भाषा होती है। किन्तु कोई भी सृजन समाज में प्रकाशित हो जाने के उपरान्त निजी सम्पदा या धरोहर नहीं रह जाता। वह अपने उन्नायक गुण, सामाजिक मूल्य और आदर्श के चलते पूरे समाज, देश और सम्पूर्ण जगत् की थाती बन जाता है।

सृजन या आविष्कार स्वभाव से युगान्तकारी होता है। उसमें मनुष्यता के उन्नयन की प्रेरणा और क्षमता होती है। अतः सृजन या आविष्कार पर उसके सर्जक या आविष्कर्त्ता का स्वत्वाधिकार होने के बावजूद, वह पूरी मनुष्यता की उपलब्धि होता है। यही कारण है कि किसी सृजन या आविष्कार को दुनिया भर में लोग अपनी भाषा में समझने और अन्तरित करने का प्रयास करते हैं। सृजन या आविष्कार सम्बन्धी विवरण-साहित्य के अनुवाद का सिलसिला इसी भाव से अभिप्रेरित और परिचालित है।

सर्जनात्मक साहित्य अपने भावबोध और विचारों में सार्वदेशिक तथा सार्वकालिक होता है। इसलिए ऐसे साहित्य को प्रत्येक समाज अपने-अपने ढंग से पढ़ना और समझना चाहता है। ऐसे साहित्य की विवेचना प्रत्येक देशकाल अपने नजरिये से करता है और उससे कुछ सीख लेता है। साहित्य की प्रासंगिकता इसी रूप में सिद्ध होती है। परन्तु किसी भाषा-सृजन को अनुवाद के सहारे जानने और समझने का मामला शुद्ध रूप से स्वेच्छाभाव से प्रेरित सर्जनात्मक होता है। इसमें कोई सांस्थानिक दबाव काम नहीं करता या किसी तरह की जोर-जबरदस्ती नहीं चलती। विक्टर ह्यूगो को शायद इसीलिए कहना पड़ा–

"When you offer a translation to a nation, the nation will almost always look on the translation as an act of violence against itself."

अर्थात्, "जब आप किसी राष्ट्र को कोई अनुवाद पढ़ने के लिए देते हैं तो आप माने या न मानें राष्ट्र उसे अपनी अस्मिता पर एक हमले के रूप में लेता है।"

बहरहाल भाषिक सृजन भाषा में होता है। प्रत्येक भाषा की एक रचना-पद्धति होती है, एक व्याकरण होता है, मुहावरों और लोकोक्तियों का अपना संसार होता है और सबसे बढ़कर शब्दों के अपने अर्थ और अभिप्राय होते हैं। इनके पीछे समाज के आचार-विचार, जीवन-दशा तथा परम्परा और विश्वास होते हैं। मुश्किल यह है कि अनुवाद दो भाषाओं के बीच सम्पन्न होता है और कोई भी दो भाषाएँ अपने शब्द, अर्थ, वाक्य-विन्यास, व्याकरण-विधान, अलंकार, प्रसंग और प्रभाव के मामले में एक समान नहीं होतीं। ऐसे में सवाल उठता है कि अनुवाद कैसे हो ? उदाहरण के लिए –

A man is born individual, he lives in a society and becomes a person.

इस वाक्य में individual एवं person शब्द अनुवाद करते समय अर्थ-भ्रम के द्वारा उलझन पैदा करते हैं। individual का अर्थ व्यक्ति होता है और person का अर्थ भी व्यक्ति है। परन्तु, चूँकि अंग्रेजी वाक्य में ये दोनों शब्द एक ही अर्थ के लिए प्रयुक्त नहीं हैं, दोनों शब्द अलग-अलग सन्दर्भ का बोध कराते हैं। इसलिए अनुवाद करते समय इन शब्दों के अर्थ में भेद करना होगा और दोनों के लिए अलग-अलग पर्याय लेना जरूरी होगा। इस दृष्टि से उक्त कथन का विश्लेषण करने पर यह बात सामने आती है कि इसमें व्यक्ति के दो रूपों की कल्पना है। एक, जिस रूप में व्यक्ति जन्म लेता है तथा दूसरा, जिस रूप में व्यक्ति समाज में रहकर अपना व्यक्तित्व बनाता है। इस विश्लेषण के अनुसार उपर्युक्त कथन का अनुवाद होगा—"मनुष्य व्यक्ति के रूप में जन्म लेता है और समाज में रहकर अपने व्यक्तित्व का निर्माण करता है।"

सृजन के अनुवाद के प्रसंग में यह सवाल कि अनुवाद कैसे किया जाये, व्यापक तथा गम्भीर हो जाता है। कारण कि सृजन कलात्मक होता है। कला के प्रकारों में साहित्य सर्वोत्तम है। कविता, कहानी, उपन्यास, नाटक आदि साहित्य की विधाएँ हैं। ये विधाएँ अपनी संरचना और अन्तर्वस्तु तथा उद्देश्य से पाठक या भावक का रंजन करती हैं। ये अपनी शैली, संवेदना और कलात्मक अनुभूति के बल पर क्षणजीवी या कालजयी बनती हैं। अतः साहित्य जिस हद तक भाषा – रचना होता है, उसका अनुवाद सुगम होता है। किन्तु रचना की सघन संवेदना और कलात्मक अनुभूति तथा उसमें अन्तर्भुक्त सांस्कृतिक मूल्य एवं परिवेशगत विशिष्टता को अनुवाद में ढालना दुष्कर होता है। इसके लिए अनुवादकर्त्ता का स्वयं में भाषा-निपुण, कल्पनाशील और सृजनशील अभिरुचि का होना परम आवश्यक है। इसे निम्नलिखित उदाहरण से समझा जा सकता है–

- The child is the father of the man. —वड्सवर्थ
- जनक मनुज का शिशु मूल है, उद्गम बूँद समुन्द—लेखक

तथापि सृजन, विशेषकर कविता का अनुवाद दुष्कर कार्य है। सृजन की भाषिक संरचना, संवेदना और सघन अनुभूति में शब्द और अर्थ एक-दूसरे से

इस कदर अन्तर्बद्ध होते हैं कि उन्हें अलगाना और अनुवाद में अन्तरित करना मुश्किल होता है। वैसे भाषाविज्ञान चाहे जो माने, सृजन के शब्द ध्वनि-प्रतीक मात्र नहीं होते। इसी तरह सृजन के वाक्य ध्वनि-प्रतीकों की व्यवस्था मात्र नहीं होते। शब्दों का संसार बड़ा व्यापक है। शब्द का अर्थ वही और उतना ही नहीं होता, जितना प्रतीत होता है। शब्द जादुई होते हैं। उनका कहा कम, अनकहा ज्यादा होता है। भारतीय जीवन-परम्परा में शब्द को ब्रह्म कहा गया है। अंग्रेज कवि और अनुवादवेत्ता रॉबर्ट फ्रॉस्ट ने कहा भी है— Poetry is, what is lost in a translation. अर्थात्, "अनुवाद की प्रक्रिया में जो चीज खो जाती है, वही कविता है।" अनुवाद में क्षति (Lost in translation) की अवधारणा इसीलिए प्रसिद्ध है।

वैसे अनुवाद अपनी संरचना तथा अन्तर्वस्तु में किसी कथन या पाठ का पुनर्कथन या पुनर्पाठ होता है। पाठ भाषा में व्यक्त विचार, भाव और लेखन होता है और पुनर्पाठ भी। यानी पाठ की तरह पुनर्पाठ भी भाषिक अभिव्यक्ति होता है। पाठ जहाँ भाषा में मौलिक सृजन होता है, वहीं पुनर्पाठ भाषिक सृजन का अनुवाद के रूप में समानान्तर सृजन होता है। अनुवाद में पाठ और पुनर्पाठ के बीच अन्तर केवल भाषागत भिन्नता का होता है। पाठ की एक भाषा होती है, जबकि पुनर्पाठ की भाषा दूसरी।

इस प्रकार अनुवाद दो भाषाओं (स्रोतभाषा तथा लक्ष्यभाषा) के बीच कथन या सन्देश के अन्तरण के रूप में सम्पन्न होनेवाला एक ऐसा कर्म है, जिसके सहज और स्वाभाविक अथवा अस्वाभाविक और कृत्रिम होने की गुंजाइश बराबर-बराबर रहती है। यह इस बात पर निर्भर करती है कि अनुवाद करते समय अनुवादकर्त्ता कथन को कैसे समझता है। वह कथन को मात्र एक भाषिक अभिव्यक्ति मानकर उसका लक्ष्यभाषा में शब्दान्तरण करता है अथवा उसमें (कथन में) निबद्ध वक्ता या लेखक के अभिप्राय या सन्देश को महत्त्वपूर्ण मानते हुए उसका लक्ष्यभाषा के स्वभाव के अनुरूप रूपान्तरण करता है। लक्ष्यभाषा के स्वभाव और संरचना को आधार मानने से अनुवाद में सहजता, स्वाभाविकता और स्वीकार्यता आती है। सहज या सुन्दर अनुवाद हमेशा लक्ष्यभाषा की स्वाभाविकता को बनाये रखकर सम्भव होता है। ऐसा अनुवाद ही लोकमानस में ग्राह्य और स्वीकार्य होता है। ऐसा अनुवाद ही लोकचित्त के साथ तादात्म्य स्थापित कर पाता है। लोकमानस के साथ नहीं

जुड़ पाने के चलते लद्धड़ एवं कृत्रिम अनुवाद कोई नहीं पढ़ता। कुछ उदाहरण प्रस्तुत हैं:—

1. Clerical error is responsible for this mistake.

क. लिपिकीय गलती इस भूल के लिए उत्तरदायी है। - कृत्रिम अनुवाद

ख. यह भूल लेखन की गलती के कारण हुई है। - सहज अनुवाद

2. The President will release pigeons to inaugurate the function.

क. राष्ट्रपति कबूतरों का विमोचन कर समारोह का उद्घाटन करेंगे।

– कृत्रिम अनुवाद

ख. राष्ट्रपति कबूतर उड़ाकर समारोह का उद्घाटन करेंगे।

-सहज अनुवाद

जाहिर है कि अनुवाद में सृजन मूल पाठ से भिन्न किसी सर्वथा नये पाठ की रचना करना नहीं है, बल्कि मूल पाठ का ही दूसरी भाषा में सहज, स्वाभाविक एवं मौलिक प्रतीत होनेवाला अन्तरण है। अनुवाद वैसे भी किसी भाषा-रचना की दूसरी भाषा में पुनर्रचना है। किसी भाषा रचना को दूसरी भाषा में दोहराने अथवा अन्तरित करने की प्रक्रिया लगभग वही होती है, जो मूल रचना की प्रक्रिया होती है। अनुवाद में भी कथन का विषय-निरूपण प्रारम्भिक चरण होता है। फिर पल्लवन की शैली और शिल्प का विश्लेषण किया जाता है। कथन का दूसरी भाषा में अन्तरण करने के बाद उसका पुनर्गठन और पुनरीक्षण करना असल में अनुवाद को मूल के समान सहज और सुन्दर बनाने का प्रयास है। अतः अनुवाद स्वभाव से भाषिक सृजन होता है। कोरा भाषान्तरण अनुवाद नहीं होता। यदि अनुवाद हू-ब-हू शब्दानुवाद हो जाये तो Man is a social animal का अनुवाद होगा—"मनुष्य एक सामाजिक पशु है।" किन्तु इस हास्यास्पद भाषान्तरण को अनुवाद नहीं कहा जा सकता।

वैसे भी कोई रचना सहजता, प्रवाहमयता और सुघड़ता जैसे स्वाभाविक संरचनागत सौन्दर्य के बिना सृजन नहीं बन पाती। अनुवादशास्त्र की दृष्टि से भी यह जरूरी है कि अनूदित पाठ भाषागत दृष्टि से सहज एवं प्रवाहपूर्ण हो और उसकी शैली तथा शिल्प पठनीय और आकर्षक हो। ऐसे अनुवाद के लिए यह आवश्यक है कि अनुवादकर्त्ता अपनी कल्पनाशक्ति से मूल लेखक के

भावलोक के साथ तदाकार होने का प्रयास करे। अनुवाद चूँकि सृजन का दूसरी भाषा में पुनर्सृजन है, अतः मूल और अनुवाद दोनों में गहरी समानता होती है। यह समानता कथ्य, भाव, शैली और प्रभाव आदि में चरितार्थ होती है। उदाहरण के लिए –

देशे देशे कलत्राणि देशे-देशे च बान्धवाः।
तं तु देशं न पश्यामि यत्र भ्राता सहोदरः।।

-वाल्मीकि रामायण, 6.12.388

सुत बित नारि भवन परिवारा, होहिं जाहिं जग बारहिं बारा।
अस बिचारि जियं जागहु ताता, मिलइ न जगत सहोदर भ्राता।।

-रामचरित मानस, लंकाकाण्ड, 081. पृ. 814

अनुवाद को सृजन का पुनर्सृजन मानना, उससे मूल रचना के जैसा होने की अपेक्षा करना है। यह अपेक्षा अनुवाद को दूसरी भाषा में समानान्तर सृजन की गरिमा प्रदान करना है। इस अपेक्षा में अनुवाद के रूप में मूल रचना को दूसरी भाषा में पुनर्जीवन देना यानी फिर से रचने का भाव भी है। इसमें यह भाव भी निहित है कि किसी भाषा में सृजन के जो जरूरी कारक होते हैं, प्रायः वही कारक अनुवाद के लिए भी जरूरी होते हैं। मसलन सृजन में मौलिक भावों एवं विचारों का संवेदनात्मक एवं कलात्मक प्रतिपादन होता है। इसके लिए सर्जक या कलाकार में प्रतिभा, कल्पनाशक्ति और अभ्यासी मनोवृत्ति का होना जरूरी माना गया है। संस्कृत के महान आचार्य रुद्रट ने इसे अपने प्रसिद्ध ग्रन्थ 'काव्यालंकार' में निम्नानुसार प्रतिपादित किया है—

तस्यासारनिरासात् सारग्रहणाच्च चारुणः करणे।
त्रितयामिदं व्याप्रियते शक्तिर्व्युत्पत्तिरभ्यासः।।

साहित्य सृजन का प्रतिमान होता है और अनुवाद का भी। सृजन के अनुवाद में सृजन को सम्भव करनेवाले कारक अर्थात् प्रतिभा, कल्पना और अभ्यास के सहारे मूल के भावों एवं विचारों की कलात्मक पुनर्रचना की जाती है। इसके लिए जैसा कि पहले कहा जा चुका है, अनुवादकर्त्ता मूल सर्जक के भाव लोक की अन्तर्यात्रा करता है और उसके साथ तादात्म्य बैठाते हुए सृजन का दूसरी भाषा में पुनर्सृजन करने का प्रयास करता है। आशय स्पष्ट है कि सृजन का

पुनर्सृजन अथवा रचना की पुनर्रचना अनुवाद की कसौटी है। अतः अनुवाद की सफलता उसके सर्जनात्मक होने में है।

सृजन का अनुवाद करना जितना चुनौतीपूर्ण होता है, उतना ही आकर्षक भी। अच्छा अनुवाद सृजन जैसा ही सुन्दर, प्रेरक और आकर्षक होता है। ऐसे अनुवाद में कथ्य के साथ अनुभूति एवं संवेदना तथा भाषा-प्रवाह जैसे सृजन के तत्त्व घुले-मिले होते हैं। उदाहरण के लिए प्रसिद्ध अंग्रेज कवि जॉन मिल्टन का एक कवितांश और उसका प्रसिद्ध हिन्दी कवि हरिवंशराय बच्चन द्वारा किया गया अनुसृजन यहाँ देखा जा सकता है—

Which shall I first bewail,
The Bondage or last sight
Prison within prison,
Inseparably dark? - *जॉन मिल्टन*

पहले किस पर अश्रु बहाएँ,
बन्दी या अन्धा होने पर,
बन्दीगृह के भीतर बन्दीगृह तेरा,
रखता है संयुक्त जिन्हें यह घना अँधेरा। - *हरिवंशराय बच्चन*

भाषाविज्ञान के अनुसार हर मौलिक कथन सृजन है। सृजन की अपनी प्रक्रिया होती है। अनुवाद में भी अनुवादकर्त्ता को इन्हीं रास्तों से गुजरना पड़ता है। अलबत्ता अनुवाद में मूल रचना का कथन पहले से उपलब्ध होता है और उसे ही दूसरी भाषा में फिर से रचना होता है। इस तरह अनुवाद मोटे तौर पर एक भाषिक सृजन का दूसरी भाषा में अनुसृजन है। किन्तु अनुवाद की विशेषता इस बात में निहित होती है कि वह किसी मूल पाठ का पुनर्पाठ या किसी कथन का पुनर्कथन अथवा किसी सृजन का अनुसृजन न लगे, बल्कि मूल रचना होने का भ्रम पैदा करे।

जाहिर है कि अच्छा अनुवाद और सृजन दोनों लगभग एक जैसे होते हैं। अच्छा अनुवाद मूल रचना की सीमा में रहकर भी एक स्वायत्त रचना होता है। इसमें अन्तरभाषिक तालमेल और अन्तरण के साथ-साथ अन्तर

सांस्कृतिक पहलुओं का समन्वय होता है। यूरोपीय समाजशास्त्री और भाषाविज्ञानी जे. आर. फिर्थ और आर. एच. रॉबिन्स ने इसीलिए अनुवाद को 'सांस्कृतिक सन्दर्भों का एकीकरण' माना है। इसीलिए अलंकारों, मुहावरों या लोकोक्तियों का अनुवाद नहीं किया जाता, उनका भाषिक प्रतिस्थापन किया जाता है। जैसे –

क) A little knowledge is a dengerous thing
नीम हकीम खतरे जान।

ख) Success has many fathers but failure is an orphan.
बनी के बनैया लाखों हैं, बिगड़ी के बनैया कोई नहीं।

अनुवाद की सृजनशीलता के परिप्रेक्ष्य में यह कहना जरूरी है कि पाठ या रचना का भाषान्तरण कर देना मात्र अनुवाद नहीं है। अनुवाद मूल रचना के शब्दों तथा शब्दों के विन्यास में छिपे कथ्य और भाव का अन्वेषण करते हुए उनका लक्ष्य भाषा में स्वाभाविक प्रतिपादन करना है। तभी अनुवाद सहज और स्वाभाविक सृजन बन पाता है। इसीलिए सर्जनात्मक साहित्य के कई-कई अनुवाद मिलते हैं। ऐसा शायद अनुवाद को मूलवत् बनाने की चेष्टा के कारण होता है। गीतांजलि के दर्जनाधिक अनुवाद के पीछे यही चेष्टा क्रियाशील रही है।

अनुवाद में सृजनशीलता एक मौलिक अवधारणा है। यह अनुवाद की भाषा और उसकी संरचना से सम्बन्धित है। यह अनुवादक की रचनाशील मनोवृत्ति से भी सम्बद्ध होती है। यह मूल सर्जक की भाँति अनुवादक के ज्ञान, कल्पना और कारयित्री प्रतिभा से अभिन्न रूप से जुड़ी होती है। सामान्य अनुवादक अनुवाद करते समय मूलपाठ के शब्द-संयोजन और भाषा-संरचना से प्रभावित होता है, किन्तु सृजनशील अनुवादक हमेशा लक्ष्य भाषा के स्वभाव और संरचना के मुताबिक मूल पाठ की पुनर्रचना करता है। तभी अनुवाद सुन्दर तथा ग्राह्य बन पाता है। इस प्रकार हम कह सकते हैं कि अनुवाद में सृजन किसी रचना को उसकी भाषिक संरचना की परवाह किये बिना, लक्ष्य भाषा के स्वभाव और संरचना के अनुरूप फिर से सृजित करना है। अनुवाद में सृजन की इसी संकल्पना के आधार पर अनुवादशास्त्री विलियम हॉस ने अनुवाद सिद्धान्त को 'परकाया प्रवेश' से आगे ले जा कर 'संकेतित भाव के माध्यम से अभिव्यक्ति

तक पहुँचने का शास्त्र' कहा है। प्रसिद्ध अनुवादशास्त्री नाइडा भी मानते हैं कि, "अनुवाद के क्रम में विभिन्न भाषाओं में गत्यात्मक समतुल्यता अर्थ निर्धारण के समुचित मानदण्डों के आधार पर ही सम्भव हो सकती है। इस प्रक्रिया में कथन के अन्तरण के स्तर पर भाषागत सामंजस्य अधिक सटीक हो सकता है।"

भाषिक सृजन में कथ्य, शैली और प्रभाव महत्त्वपूर्ण होते हैं। कथ्य और शैली यथार्थ तथा कल्पना से सम्बद्ध सामाजिक एवं संरचनात्मक पहलू हैं, जबकि प्रभाव की सृष्टि के लिए सृजन की भाषा का स्वाभाविक और व्यंजनापूर्ण होना जरूरी होता है। इन्हीं के बल-बूते कोई रचना लोक के आस्वाद के योग्य बनती है। कहने की आवश्यकता नहीं कि सृजन की ये शर्तें अनुवाद को तदनुरूप बनाने अर्थात् सृजन का अनुसृजन बनाने के लिए भी जरूरी होती हैं। अनुवाद में भी मूल कथन का लक्ष्यभाषा के स्वभाव और संरचना के अनुसार प्रभावशाली अन्तरण अपेक्षित होता है। तभी अनुवाद पठ्य और ग्राह्य हो पाता है। इस प्रकार अनुवाद में सृजन किसी रचना की स्वाभाविक भाषा संरचना में सुघड़ पुनर्रचना है। जाहिर है कि अनुवाद में ये पहलू बड़े महत्त्व के होते हैं और अनुवाद करते समय इन्हीं पहलुओं के निर्वाह में समस्या आती है। यह समस्या दो भाषाओं के शब्द और उनकी अर्थ-व्याप्ति तथा संरचना-विन्यास में भिन्नता के कारण उत्पन्न होती है। कुशल अनुवादक इन समस्याओं का निराकरण अपने भाषाज्ञान, विषय-ज्ञान, अनुभव तथा अभिव्यक्ति-कौशल आदि के द्वारा करता है। जैसे–

The woods are lovely, dark and deep,

But I have promises to keep,

And miles to go before I sleep,

And miles to go before I sleep —रॉबर्ट फ्रॉस्ट

गहन सघन मनमोहन वन-तरु मुझको आज बुलाते हैं,

किन्तु किये जो वादे मैंने, याद मुझे आ जाते हैं,

अभी कहाँ आराम बदा यह मूक निमन्त्रण छलना है,

अरे अभी तो मीलों मुझकों, मीलों मुझको चलना है।— बच्चन

असल में अनुवाद करते समय जब मूल कथन का शब्दशः और वाक्यशः भाषान्तरण करने का प्रयास किया जाता है तो अनुवाद बनावटी और कृत्रिम बन जाता है। ऐसा अनुवाद लोकग्राह्य भी नहीं होता। सर्जनात्मक साहित्य के अनुवाद में तो यह पद्धति बिल्कुल ही विफल हो जाती है। ऐसा सृजन को भाव-बोध की उदात्त भाषिक अभिव्यक्ति मानने के बजाय, मात्र शब्द-रचना मानने के कारण होता है।

सृजन में भावों और विचारों कि संगुम्फित अभिव्यक्ति होती है। सृजन में भाव प्रधान होता है, शब्द गौण। सृजन का सौन्दर्य उसके बिम्ब और अभिव्यंजना में निहित होता है। सृजन का कथ्य नहीं, बिम्ब एवं व्यंजना ग्रहण किये जाते हैं। इसलिए सृजन के अनुवाद में रचना को जीवन्त बनाने के लिए अनुवादकर्त्ता को चाहिए कि वह मूलकृति को समग्रता में समझे और आत्मसात करके उसे यथासम्भव अपने ढंग से पुनर्सृजित करे। उदाहरण के लिए भीष्म साहनी की कहानी 'चीफ की दावत' का प्रारम्भिक अंश तथा उसका उन्हीं के द्वारा किया गया अंग्रेजी अनुवाद यहाँ प्रस्तुत है—

चीफ की दावत

1. आज मिस्टर शामनाथ के घर चीफ की दावत थी।

शामनाथ और उनकी धर्मपत्नी को पसीना पोंछने की फुर्सत न थी। पत्नी ड्रैसिंग गाउन पहने, उलझे हुए बालों का जूड़ा बनाये, मुँह पर फैली हुई सुर्खी और पाउडर को भूले और मिस्टर शामनाथ सिगरेट-पर-सिगरेट फूँकते हुए, चीजों की फेहरिस्त हाथ में थामे, एक कमरे-से-दूसरे कमरे में आ-जा रहे थे।

The Boss Came to Dinner

Mr. Shamnath had invited his boss to dinner. Neither he nor his wife could pause even to wipe the perspiration from their faces. The wife, in a dressing gown, her tangled hair tied in a knot, her make-up all smudged, and he, pencil and paper in hand and smoking cigarette after cigarette, ran from room-to-room, ticking off items in a long list.

वस्तुतः सृजन के अनुवाद में 'कुछ न जोड़ो, कुछ न छोड़ो' की धारणा से काम नहीं चलता। अनुवादक को बेहतर अनुवाद के लिए कई बार कुछ जोड़ना

पड़ता है और कभी-कभी कुछ छोड़ना भी पड़ता है। कई बार मूल पाठ के अभिप्राय से मिलते-जुलते कथन या उक्ति को ही मूल का प्रतिरूप मान लेना पड़ता है। लोकोक्ति और मुहावरों के अनुवाद में यही रीति काम आती है। अनुवाद का उद्देश्य तब सफल होता है, जब किसी सृजन को उसी लय, प्रवाह एवं व्यंजना में भाषान्तरित किया जाता है।

परन्तु अनुवाद में प्रभाव-सृजन की यह विधि सर्वमान्य नहीं है। हर अनुवादक सृजन को अपनी तरह से समझता है और उसे भाषान्तरित करने की चेष्टा करता है। इसलिए सृजन के अनुवाद की कई चेष्टाएँ देखने में आती हैं। उदाहरण के लिए प्रेमचन्द की प्रसिद्ध कहानी 'पंच परमेश्वर' के अंग्रेजी में कई अनुवाद मिलते हैं। मगर मूलपाठ के अर्थ और भाव को समग्रता में भाषान्तरित करने का एक भी उदाहरण नहीं मिलता। 'पंच परमेश्वर' के निम्नलिखित अंश तथा उसका नन्दिनी नोपानी एवं पी. लाल तथा प्रकाशचन्द गुप्त द्वारा किये गये अनुवादों से इस कथन का सत्यापन किया जा सकता है --

"इस पानी से दोनों के दिलों का मैल धुल गया। मित्रता की मुरझाई हुई लता फिर से हरी हो गयी।"

"The tears washed away bitterness in the hearts of both. The faded creeper bursts again into leaf and flower."

– नन्दिनी नोपानी एवं पी. लाल

"These tears washed away all the dust in their hearts. The languishing plant of friendship revived once again."

—प्रकाशचन्द्र गुप्त

'पंच परमेश्वर' शीर्षक के अनुवाद में भी इन विद्वान अनुवादकों में एक-सी राय नहीं मिलती। नोपानी एवं पी. लाल के लिए 'पंच परमेश्वर' 'द पंचायत इज द वॉयस ऑफ गॉड' है, जबकि प्रकाशचन्द्र गुप्त 'पंच परमेश्वर' को 'द विलेज जज' लिखते हैं। नोपानी एवं लाल के अनुवाद में शीर्षक के साथ भावपरक समतुल्यता का प्रयत्न दिखता है, जबकि 'द विलेज जज' 'पंच परमेश्वर' का शब्दानुवाद जैसा है। फिर भी 'पंच परमेश्वर' में जो भाव तथा भारतीय जीवन पद्धति का सांस्कृतिक बोध ध्वनित है, वह इन अंग्रेजी अनुवादों में बिल्कुल नदारद है।

उल्लेखनीय है कि सृजन में जहाँ लोक आस्था, भौगोलिक परिवेश और सांस्कृतिक मूल्य घुले-मिले रहते हैं, अनुवाद दुष्कर हो जाता है। ऐसे पाठ का अनुवाद करते समय सामाजिक तथा सांस्कृतिक सन्दर्भों एवं मूल्यों को समतुल्य सन्दर्भों और मूल्यों से प्रतिस्थापित करना ही श्रेयस्कर होता है। हालाँकि अनुवाद में समतुल्य-प्रतिस्थापन की अपनी सीमाएँ होती हैं। कारण कि भाषा में किसी एक भाषिक कथन का दूसरी भाषा में अन्तरण करना वस्तुजगत के किसी पदार्थ को एक जगह से दूसरी जगह ले जाने जैसा नहीं होता। भाषा-रूप बदलने से कथन में भी बदलाव आता है। ऐसा दो भाषाओं के बीच पाये जानेवाले शब्दगत, विन्यासगत एवं सामाजिक-सांकृतिक अन्तर के कारण होता है। इसलिए अनुवाद में मूल पाठ से किंचित् परिवर्तन या परिवर्द्धन देखने को मिलता है। तथापि सामाजिक आस्था, परिवेशगत विशिष्टता और सांस्कृतिक मूल्य का मिलान और प्रतिस्थापन ही सृजन के अनुवाद को प्रभावी और सर्जनात्मक बनाता है। इसीलिए सृजन का अनुवाद पुनर्सृजन अथवा अनुसृजन होता है।

निश्चय ही अनुसृजन, सृजन की शब्दगत एवं संरचनागत सीमाओं से मुक्त, एक नवीन रचना होता है। यह सृजन के जैसा ही रचनात्मक उद्यम का परिणाम होता है। ऐसे अनुवाद के लिए सृजन को आत्मसात कर उसका लक्ष्यभाषा में अनुसृजन करना यथेष्ट होता है। तभी अनुवाद मूल रचना की तरह सहज एवं स्वाभाविक तथा प्रवाहपूर्ण बन पाता है। अस्तु अनुवाद में सृजन की परिकल्पना रचनात्मक, ज्ञानाभिमुख एवं नवाचारी परिकल्पना है। इसे साकार करने में अनुवादकर्त्ता को मूल सर्जक के मनोभावों के साथ साधारणीकरण करते हुए जरूरत के अनुरूप भावान्तरण, पुनर्लेखन आदि तरीके अपनाने होते हैं। इस पूरे उद्यम का लक्ष्य भाषागत खाईं को पाटते हुए अन्तरण के ऊबड़-खाबड़ को समतल और प्रवाहपूर्ण बनाना है, जिससे कि अनुवाद पाठक को मूल कृति जैसा रसास्वादन करा सके। उदाहरण के लिए अंग्रेजी के प्रसिद्ध कवि पी. बी. शेली की मशहूर कविता Ode to a Skylark तथा उसका हिन्दी में किया गया अनुसृजन यहाँ प्रस्तुत है --

मूलपाठ

'Hail to thee, blithe spirit!

Bird thou never wert-

That from Heaven or near it
Pourest they full heart
In profuse strains of unpremeditated art.
Higher still and higher
From the earth thou springest,
Like a cloud of fire;
The blue deep thou wingest,
And singing still dost soar, and
Soaring ever singest.' —Ode to a Skylark, P.B. Shelley

अनुवाद

'प्रमुदित प्राण ! तुझे अभिवादन
कभी न था तू खग निश्चय
नभ के या इसके समीप से
परस रहा सम्पूर्ण हृदय
पूर्व चिन्तन हीन कलामय
गीतावली से भर अतिशय।
ऊँचे और बहुत ऊँचे चढ़
धरती से कुदान भर कर
अनल मेघवत् अबाबील तू
चढ़ता नीलिम पंखों पर
उड़ने को चढ़ता तू गाता
गाता जब चढ़ता जाता।' -- यतीन्द्र कुमार

सृजन सदैव सम्पूर्णता में घटित होता है। अनुवाद के मामले में भी। सृजनशील अनुवादकर्त्ता की कारयित्री प्रतिभा का कमाल पाठान्तरण के अलावा शब्दान्तरण में भी देखने को मिलता है। अवधारणात्मक शब्दों के अनुवाद में

तो खासतौर पर। हालाँकि अवधारणावाची शब्दों के अनुवाद भावानुवाद होते हैं और प्रायः गढ़े गये शब्द होते हैं। फिर भी एक बार प्रचलन में आ जाने के बाद ऐसे शब्द निर्विकल्प और लोक का कण्ठहार बन जाते हैं। किसी भी भाषा की समृद्धि में ऐसे सृजित शब्दों की भी महत्त्वपूर्ण भूमिका होती है। हिन्दी में भी ऐसे सृजित शब्द बड़े सुन्दर, प्रभावी और पर्याप्त हैं। निम्नलिखित उदाहरण गौरतलब हैः—

1.	All India Radio	-	आकाशवाणी
2.	Parliament	-	संसद
3.	Member of Parliament	-	सांसद
4.	Academy	-	अकादेमी
5.	Interim	-	अन्तरिम
6.	Telephone	-	दूरभाष
7.	Television	-	दूरदर्शन
8.	All rounder	-	हरफनमौला
9.	Exchange of fire	-	गोलीबारी

भूमण्डलीकरण और संचार के तीव्र साधनों ने आज की दुनिया को विश्वग्राम बना दिया है। इस विश्वग्राम में पूँजी और बाजार की चकाचौंध है। इसने लोगों में सम्पन्न होने और आगे बढ़ने की ऐसी ललक जगा दी है कि देशों की दूरियाँ बेमानी हो गयी हैं। भाषा की दीवारों को असरहीन करने के लिए अन्तरभाषिकता का चलन बढ़ा है और अनुवाद इसे अंजाम दे रहा है। उत्तरआधुनिकता के दौर में अनुवाद भी अब महज भाषान्तरण नहीं रह गया है। इस नये जमाने में अनुवाद भी सृजन का सृजन बनकर सामने आ रहा है। बेशक यह सृजन, मूल सृजन का ही परिवर्द्धित रूप है, जैसा जैक देरिदा मानते हैं। देरिदा के अनुसार, "अनुवाद एक शिशु की तरह होता है, जो बेशक प्रजनन के नियमों के अनुरूप जन्म लेता है, किन्तु जिसका एक अपना स्वर होता है, जो उसके जन्मदाताओं से अलग और खास होता है।"

वैसे सृजन क्या है ? वह कैसा होता है ? अनुवाद में सृजन का मतलब क्या है ? अनुवाद सृजन का सृजन कैसे बनता है ? और अनुवाद में सृजन

किस तरह सम्भव होता है ? इन सारे सवालों को साफ-साफ समझने के लिए निम्नलिखित प्रचलित उदाहरण देखे जा सकते हैं:—

क. The man is a social animal.

मनुष्य एक सामाजिक प्राणी है।

ख. May I have your attention please.

यात्रीगण कृपया ध्यान दें।

ग. The vice chancellor has kept his cards close to the chest.

कुलपति ने अभी अपने पत्ते नहीं खोले हैं।

घ. No words can do justice to the courage and determination of our armed forces, who protect our nation and on the call of duty, help our citizens whenever they are in distress.

हमारे जवानों के साहस और धैर्य का शब्दों में बयान नहीं किया जा सकता। वे सदैव देश की रक्षा में तत्पर रहते हैं और अपना कर्त्तव्य निभाते हुए संकट में फंसे लोगों की सहायता करते हैं।

कहना न होगा कि अनुवाद को सृजन बनाने के लिए अनुवादकर्त्ता को भाषा के विभिन्न स्तरों से गुजरना पड़ता है। उसे अपनी प्रतिभा तथा कल्पनाशक्ति से मूल पाठ के कथ्य एवं भाव का सन्धान करना पड़ता है। देशकाल के सन्दर्भ में कथन की संवेदना और आत्मा की तलाश करनी पड़ती है। तब जाकर किसी सृजन का अनुवाद में पुनर्सृजन सम्भव हो पाता है। ऐसे में कहा जा सकता है कि अनुवाद में सृजनशीलता की राहें सृजन जैसी ही एकाकी, नवोन्मेषी एवं लालित्यपूर्ण होती हैं।

प्रशासनिक अनुवाद की चुनौतियाँ

अनुवाद किसी भाषा में व्यक्त विचार या भाव को दूसरी भाषा में फिर से व्यक्त करना है। अनुवाद में विचार यथावत् रहता है, जबकि भाषा का माध्यम बदल जाता है। विचारों की आवाजाही के चलते अनुवाद को भाषान्तरण अथवा भाषा संवाद भी कहा जाता है। अनुवाद में भाषाओं के बीच संवाद कायम करने का असल उद्देश्य ज्ञान का प्रसार करना है ताकि एक भाषा में निबद्ध ज्ञान से दूसरे भाषा-भाषी वंचित न रह जाएँ। इस दृष्टि से अनुवाद ज्ञान के प्रसार का माध्यम है। ज्ञान का प्रसार आधुनिक अवधारणा है। इससे आदमी में अन्ध आस्था एवं परम्परा से चली आ रही बँधी-बँधाई परिपाटी को नकारने का साहस आता है तथा तर्क और बुद्धि के सहारे कार्य करने की प्रेरणा बलवती होती है। इस तरह से अनुवाद स्वभाव से तरक्की पसन्द अर्थात् आधुनिक होता है। प्रशासनिक अनुवाद भी।

किसी भी प्रशासनिक व्यवस्था में शासन और जनता के बीच संवाद का माध्यम भाषा होती है। किन्तु भारत जैसे बहुभाषी समाज और द्विभाषिक प्रशासनिक व्यवस्था में संवाद का माध्यम अनुवाद बन जाता है। अकारण नहीं भारत संघ की द्विभाषिक प्रशासनिक व्यवस्था में अनुवाद सरकार और जनता के बीच संवाद का सर्वाधिक सशक्त और प्रभावी माध्यम है। संघ की संविधान सम्मत भाषा हिन्दी है, जबकि व्यवहार में अंग्रेजी का बोलबाला है। हालाँकि भारत की 95 प्रतिशत आबादी अंग्रेजी के साथ सहज नहीं है। फिर भी, सरकार के विधान एवं नीति-निर्माण अंग्रेजी में ही होते हैं। ऐसे में सरकार के विधान एवं प्रावधान तथा उनकी बारीकियों से आम आदमी अनभिज्ञ रहता है। यही कारण है कि भारत में शासन और जनता के बीच एक तरह का अपरिचय, अविश्वास तथा भ्रम की स्थिति देखने को मिलती है। इस स्थिति से पार पाने में सरकार अनुवाद का सहारा लेती है। अनुवाद के माध्यम से सरकार अपनी

नीतियों और कल्याणकारी योजनाओं से लोगों को परिचित कराने और उनके विश्वास अर्जित करने के प्रयास करती है। भारतीय प्रशासनिक व्यवस्था में भी अनुवाद जानकारी के आदान-प्रदान का माध्यम बनकर अज्ञान को मिटाने अथवा अनभिज्ञता को दूर करने का काम करता है। अतः यह कहना उचित ही है कि अनुवाद चाहे सामान्य हो या साहित्यिक अथवा प्रशासनिक स्वभाव से ज्ञानोन्मुख और आधुनिक होता है।

आई. ए. रिचड्र्स ने अनुवाद के सम्बन्ध में विचार करते हुए कहीं कहा है–

"Translation may be the most complex event of the Cosmos."

मैं इस कथन में प्रशासनिक अनुवाद के प्रसंग में यह जोड़ना चाहूँगा --

"Further administrative translation is the utmost complex event in which no scope to escape or leap for a translator."

(अनुवाद ब्रह्माण्ड की सर्वाधिक जटिल परिघटना है और प्रशासनिक अनुवाद परम जटिल परिघटना, जिसमें अनुवादक के लिए पलायन अथवा परिवर्तन करने का कोई अवसर नहीं होता।)

बहरहाल, अनुवाद चाहे जितना जटिल और मुश्किल कार्य हो, परस्पर निर्भर और आश्रित बहुभाषी दुनिया में इससे बचा नहीं जा सकता। भारत में भी बहुभाषिक समाज और द्विभाषिक प्रशासनिक व्यवस्था में संवाद कायम करने के लिए अनुवाद अनिवार्य है।

वैसे, आदमी का स्वभाव ऐसा होता है कि उसे मुश्किल और कठिन काम करने में मजा आता है। सेंत-मेंत का काम, यानी बँधे-बँधाए ढर्रे का काम तो कोई भी प्राणी कर लेता है। आदमी, आदमी इसलिए है कि वह चुनौती स्वीकर करता है और चुनौतीपूर्ण कार्य करने में उसे अपने को साबित करने का मौका मिलता है।

"चला जाता हूँ हँसता खेलता मौज-ए-हवादिस से,
अगर आसानियाँ हों जिंदगी दुश्वार हो जाये।" —असगर गोंडवी

अनुवाद भाषा का कर्म है। हर भाषा की एक विन्यास-पद्धति होती है। वाक्य-विन्यास के तौर-तरीके होते हैं। अपना व्याकरण होता है और उसके अन्तर्गत ही संरचना के विधान होते हैं। किन्तु भाषा के जो शब्द होते हैं, वे बड़े

अर्थवान् और दिलचस्प होते हैं। शब्द के साथ अर्थ की एक संगति और परम्परा होती है। अर्थ के पीछे जीवनानुभव होते हैं। उसमें समाज के आचार-विचार, रीति-रिवाज, मूल्य, परम्परा, विश्वास आदि सब-कुछ घुले-मिले होते हैं। मुश्किल यह है कि अनुवाद दो भाषाओं के बीच सम्पन्न होता है और कोई भी दो भाषाएँ एक समान नहीं होतीं। शब्द, अर्थ, प्रसंग, वाक्य-विन्यास, व्याकरण-विधान, अलंकार, प्रकरण और प्रभाव आदि के मामले में भाषाएँ एक-दूसरे से सर्वथा भिन्न होती हैं। अनुवाद मुश्किल कर्म इसी प्रसंग में है कि इसमें भाषिक अभिव्यक्ति के अन्तरण के दौरान भिन्नताओं में सामंजस्य स्थापित करना होता है ताकि कथन का आशय या सन्देश सम्प्रेषित हो सके। जैसे—

The RBI Governor cautioned that willful defaulters have to face the music.

भारतीय रिजर्व बैंक के गवर्नर ने चेतावनी दी कि जान बूझकर कर्ज नहीं चुकानेवालों को परिणाम भुगतना होगा।

अनुवाद और भाषा का सम्बन्ध अकाट्य होता है। अनुवाद में कथन, कथन की भाषा, जिसे स्रोतभाषा कहते हैं और कथन के अन्तरण की भाषा यानी लक्ष्य भाषा, ये तीनों आधारभूत कारक होते हैं। इन्हीं तीन कारकों अथवा अवयवों से अनुवाद बनता है। बहरहाल, अनुवाद भाषान्तरण है और भाषान्तरण की प्रक्रिया वही होती है जो सृजन की प्रक्रिया होती है। अनुवाद में किसी भाषा-सृजन को दूसरी भाषा में फिर से सृजित किया जाता है। इसलिए अनुवाद को सृजन का अनुसृजन या पुनर्सृजन भी कहा जाता है।

अनुवाद को अनुसृजन कहने का आशय है कि यह सृजन के समान ही महत् और अभिराम होता है। अनुवाद में यह विशेषता अनुवादकर्त्ता की प्रतिभा, ज्ञान और अभ्यास से आती है। प्रशासनिक अनुवाद भी इसी तरह का अनुसृजन होता है। प्रशासनिक अनुवाद में शासन-प्रशासन के कामकाज के सिलसिले में जारी किये जानेवाले पत्र, परिपत्र, रिपोर्ट, टिप्पणी, विज्ञप्ति, आदेश, अनुबन्ध आदि का भाषान्तरण किया जाता है। यह प्रशासन और जन साधारण के बीच संवाद का मुख्य जरिया होता है। इसलिए प्रशासनिक अनुवाद का सहज और सुघड़ होना जरूरी होता है ताकि वह आम आदमी के लिए पठनीय तथा सम्प्रेषणीय हो सके। जैसे—

क. A line in reply will be highly appreciated.

कृपया उत्तर अवश्य भेजें अथवा उत्तर की प्रतीक्षा रहेगी।

ख. Compliance with order is still awaited.

अभी आदेश का अनुपालन नहीं हुआ है।

ग. If the top companies are to get their share of the talent pool, they will have to raise their game.

यदि शीर्ष कम्पनियों को पर्याप्त संख्या में प्रतिभाशाली कार्मिक चाहिए तो उन्हें इसके लिए विशेष प्रयास करना होगा।

प्रशासन के कार्य आमतौर पर कार्यालयों में होते हैं। ये कार्य निश्चित लक्ष्य या प्रयोजन के लिए किये जाते हैं। सभी कार्य भाषा में लिख कर किये जाते हैं। कार्यालयी कामकाज की एक निश्चित भाषा होती है। कार्य या उद्देश्य को प्रयोजन भी कहा जाता है। चूँकि कार्यालयी कामकाज एक निश्चित प्रयोजन, उद्देश्य अथवा लक्ष्य के लिए किये जाते हैं, इसलिए कार्यालयी भाषा को प्रयोजनमूलक भाषा (Functional Language) भी कहते हैं। शासन और प्रशासन के कार्य प्रयोजन अथवा उद्देश्य के निमित्त होते हैं। अतः कार्यालयी अथवा प्रयोजनमूलक भाषा ही प्रशासनिक भाषा है।

प्रशासन के कार्य-व्यवहार में, जनसम्पर्क में, वाणिज्य, व्यापार, विधि, उद्योग, प्रबन्धन आदि सेवा क्षेत्रों में जो भाषा प्रयोग की जाती है, वह आम बोल-चाल की भाषा से भिन्न होती है। इस भाषा का स्वरूप विषय विशेष की शब्दावली और संरचना से बनता है। इसलिए शासन की भाषा और जनव्यवहार की भाषा अलग होती है। किन्तु शासन चूँकि नागरिक जीवन को अनुशासित एवं नियन्त्रित करता है, अतः नागरिक जीवन में शासन के प्रति जिज्ञासा का भाव सदैव बना रहता है। यही जिज्ञासा-भाव लोगों में शासन की भाषा को जानने और समझने के प्रति दिलचस्पी पैदा करता है। फलस्वरूप लोग बोलचाल में गाहे-बगाहे शासन की भाषा के शब्दों का इस्तेमाल करने लगते हैं। लोक जीवन में प्रशासनिक भाषा के शब्दों का व्यवहार इसी तरह शुरू होता है। भारत में अरबी-फारसी और अंग्रेजी के शब्दों के प्रचलन का यही इतिहास है।

भाषा व्यवहार के मोटे तौर पर दो कार्य-क्षेत्र होते हैं। एक कार्य-क्षेत्र में भाषा मनुष्य की स्वानुभूति और सौंदर्याभिरूचि से जुड़ी होती है। ऐसी भाषा स्वान्तःसुखाय और आत्म-आनन्द का माध्यम बनती है। यही भाषा साहित्य की भाषा होती है। दूसरे प्रकार की भाषा रोजमर्रा के जीवन से जुड़ी होती है। यह भाषा व्यक्तिपरक होकर भी असलियत में समाज सापेक्ष होती है। यह भाषा सीधे-सीधे हमारी जीविका से जुड़ी होती है और सेवा क्षेत्र में व्यवहार होती है। भाषा व्यवहार का यह दूसरा प्रकार प्रशासनिक अथवा प्रयोजनमूलक कहलाता है। यही कार्यालयी भाषा है। कार्यालय सरकारी और गैर-सरकारी दोनों प्रकार के होते हैं। दोनों ही प्रकार के कार्यालयों में जो कार्य होते हैं, वे मुख्यतः लिखित रूप में होते हैं और भाषा में होते हैं। वैसे निजी संस्थाओं के कामकाज की भाषा निश्चित नहीं होती। जिस भाषा में संस्था का हित सधता है, उसके लक्ष्य और उद्देश्य की पूर्ति होती है, वही उसकी भाषा होती है। परन्तु सरकार की एक स्पष्ट भाषा नीति होती है और उसी भाषा में सरकारी कार्यालयों में कामकाज किये जाते हैं।

भारत में शासन और प्रशासन की भाषा भारतीय संविधान के अनुरूप निर्धारित है। भारत सरकार की भाषा नीति द्विभाषिक है। केन्द्र सरकार के कार्यालयों में कामकाज हिन्दी या अंग्रेजी में अथवा दोनों भाषाओं में होते हैं। वहीं राज्यों में सरकारी कामकाज की भाषा प्रान्तीय भाषा या हिन्दी है। अपवाद रूप से नगालैण्ड राज्य की कामकाजी भाषा अंग्रेजी है। ब्रिटिशकालीन भारत में प्रशासनिक कामकाज की भाषा अंग्रेजी थी। आजादी के बाद जब हिन्दी भारत की राजभाषा बनी तो प्रशासन के कामकाज में हिन्दी का प्रवेश हुआ। कार्यालयों में हिन्दी का यह प्रवेश अनुवाद के माध्यम से हुआ। केन्द्र सरकार के कार्य प्रायः अंग्रेजी में होते हैं। तथापि संवैधानिक व्यवस्था और कानूनी बाध्यता के चलते सूचना, अधिसूचना, परिपत्र, ज्ञापन, विज्ञापन, लाइसेन्स, परमिट और अनुबन्ध जैसे दस्तावेज अंग्रेजी के साथ-साथ हिन्दी में भी तैयार किये जाते हैं। ऐसे कार्यों में हिन्दी का पाठ अक्सर अंग्रेजी पाठ के अनुवाद के सहारे तैयार होते हैं। इस प्रकार हम कह सकते हैं कि भारत में प्रशासनिक कार्य व्यवहार में हिन्दी का स्वरूप अनुवादी है।

चूँकि प्रशासनिक लेखन का स्वरूप प्रयोजनमूलक (Functional) होता है और वह एक बंधे-बंधाए शिल्प में लिखा जाता है, अतएव प्रशासनिक अनुवाद

अनचाहे तौर पर भी मूल पाठ की तरह बँधे-बँधाए शिल्प और शैली का अनुकरण होता है। जैसे :—

क. I am directed to say that

मुझे यह कहने का निदेश हुआ है कि,

ख. It is hereby informed that

एतद् द्वारा सूचित किया जाता है कि,

ग. This has approval of competent authority.

इसे सक्षम प्राधिकारी का अनुमोदन प्राप्त है।

कहना न होगा कि प्रशासनिक भाषा का विकास प्रशासन, जनसम्पर्क, वाणिज्य, व्यापार, विधि, उद्योग, प्रबन्धन, बैंकिंग, बीमा, स्वास्थ्य और जन-कल्याण तथा अन्यान्य सेवा क्षेत्रों के सन्दर्भ में लक्ष्य अथवा प्रयोजन को पूरा करने के लिए हुआ। इसलिए प्रशासनिक भाषा में विषय-विशेष की शब्दावली और संरचना की प्रधानता मिलती है। इसीलिए प्रशासनिक भाषा में शब्दावली तथा संरचना का विषयवार एवं अलग-अलग रूप मिलता है। वाणिज्य और व्यापार की भाषा-शब्दावली तथा संरचना वही नहीं होती, जो प्रशासन और प्रबन्धन की भाषा-शब्दावली तथा संरचना होती है। इसी तरह विधि तथा जनसम्पर्क की शब्दावली एवं भाषा-संरचना एक-दूसरे से सर्वथा भिन्न होती है। स्वाभाविक तौर पर प्रशासनिक अनुवाद में भी विविधता होती है। इसी प्रकार प्रशासनिक भाषा की शैली बोलचाल की भाषा अथवा साहित्यिक भाषा से भिन्न होती है। इसलिए प्रशासनिक साहित्य के अनुवाद में भी मूल की शाब्दिक तथा शैलीगत विशेषता अथवा भिन्नता को व्यंजित करना जरूरी होता है। उदाहरण के लिए:—

क. The vice chancellor has kept his cards close to his chest.

कुलपति का निर्णय अभी गोपनीय है अथवा कुलपति ने अभी अपने पत्ते नहीं खोले हैं।

ख. The miscrients exployted the exident.

उपद्रवी तत्त्वों/उपद्रवियों ने दुर्घटना का लाभ उठाया।

ग. General Manager is not competent to approve the proposal.

महाप्रबन्धक इस प्रस्ताव का अनुमोदन करने के लिए सक्षम प्राधिकारी नहीं हैं।

प्रशासनिक अंग्रेजी की वाक्य संरचना और विषय की अभिव्यक्ति आमतौर पर कर्मवाच्य (Passive Voice) में की जाती है। इसमें कथन स्पष्ट और एकार्थी होता है तथा अभिव्यक्ति सपाट अर्थात अभिधा प्रधान होती है। सरकारी पत्राचार, विधानमण्डल या संसद की कार्यवाही और कानून की भाषा आम व्यवहार की भाषा से भिन्न होती है। इसी तरह कार्यालयों की अधिसूचना, मसौदे, वैज्ञानिक तथा तकनीकी साहित्य लेखन और बैंकिंग तथा बीमा क्षेत्र आदि की भाषा विशिष्ट प्रकार की प्रयोजनमूलक होती है। व्यावसायिक पत्र-व्यवहार, वाणिज्य-व्यापार की कार्रवाई, विज्ञापन, दृश्य-श्रव्य माध्यम आदि में व्यवहार होनेवाली भाषा भी प्रयोजनमूलक होने के चलते लोकव्यवहार की भाषा से भिन्न और विशिष्ट प्रकार की होती है। विभिन्न सेवा-क्षेत्रों में प्रयोग होनेवाली भाषा भी प्रयोजनमूलक होने के नाते जनसामान्य में प्रचलित भाषा से भिन्न और विशिष्ट स्वरूप की होती है। भाषा में इस भिन्नता का कारण विषय-विशेष की शब्दावली और संरचना होती है, जो आम भाषा के लिए जरूरी नहीं होती। जाहिर है कि इन विषय क्षेत्रों की भाषा का जब अनुवाद किया जाता है तो वह अनुवाद भी मूल के जैसा विषय-विशेष की शब्दावली और सन्दर्भ के अनुरूप विशेष प्रकार का बन जाता है। ऐसे अनुवाद के लिए जरूरी है कि अनुवादकर्त्ता विषय-विशेष का ज्ञाता न भी हो तो कम-से-कम विषय-विशेष से सम्बन्धित पारिभाषिक शब्दावली और शैली से परिचित हो। उदाहरण के लिएः—

क. There are different forms of software for accounting.

लेखा कार्य के लिए विभिन्न प्रकार के सॉफ्टवेयर उपलब्ध हैं।

ख. The scientist has developed an environment friendly form of transport.

वैज्ञानिक ने परिवहन का पर्यावरण अनुकूल रूप विकसित किया है।

ग. Application forms are available on the website of the UPSC.

आवेदन-पत्र संघ लोक सेवा आयोग की वेबसाइट पर उपलब्ध है।

घ. The whole team is on good form.

पूरी टीम अच्छे फॉर्म में है।

ङ. The building stood in its original form until 1980.

यह भवन 1980 तक अपने मूल ढाँचे में था।

च. The main building is in the form of a big 'Y'.

मुख्य भवन अंग्रेजी के बड़े 'Y' अक्षर के आकार का है।

छ. The Indian National Congress was formed in 1885 & came into power in 1947.

भारतीय राष्ट्रीय कांग्रेस 1885 में गठित हुई और 1947 में सत्ता में आयी।

ज. The river forms a hatural boundary between two countries.

नदी दोनों देशों के बीच एक प्राकृतिक सीमा बनाती है।

वैसे तो अनुवाद मूल कथन या पाठ का हू-ब-हू भाषान्तरण होता है। किन्तु भाषाओं की दुनिया अपने आप में अर्थात् शब्द, अर्थ, पर्याय, प्रकरण, व्यंजना, विन्यास आदि के मामले में इतनी निराली होती है कि किसी एक भाषा में वक्त विचार या भाव का दूसरी भाषा में जस का तस रूपान्तरण सम्भव नहीं होता। रूपान्तरण मूल की तुलना में थोड़ा कम या ज्यादा ही हो पाता है। भाषाओं के शब्द, शब्द के अर्थ और उसकी व्याप्ति तथा विन्यास-विधान हू-ब-हू रूपान्तरण के आड़े आते हैं। प्रशासनिक अनुवाद में भी ऐसा ही होता है। बल्कि कहना चाहिए कि प्रशासनिक भाषा में शब्दावली और संरचना की विशिष्टता के कारण उसके अनुवाद की चुनौतियाँ भी विशिष्ट होती हैं। जैसे :—

क. प्रशासनिक भाषा कर्म प्रधान होती है, जबकि आम जनजीवन की भाषा कर्त्ता प्रधान होती है।

ख. प्रशासनिक भाषा की शब्दावली विषय-विशेष के लिहाज से पारिभाषिक और विशेष अर्थव्यंजक होती है, जबकि जन-जीवन शाब्दिक प्रयोग के मामले में रूढ़िमुक्त और प्रयोगशील होता है।

ग. प्रशासनिक भाषा में वाक्य-विन्यास सन्दर्भ के अनुरूप प्रायः जटिल तथा खास तरह के शिल्प में रचे होते हैं, जबकि आम व्यवहार की भाषा सरल वाक्य तथा साधारण शैलीवाली होती है।

घ. इसी तरह से प्रशासनिक भाषा में शब्दों के प्रयोग और अन्विति के मामले में सावधानी देखी जाती है, जबकि आम भाषा में एक तरह की स्वच्छन्दता पायी जाती है।

जाहिर है कि प्रशासनिक भाषा के ये सारे पहलू उसके अनुवाद में चुनौती खड़ी करते हैं।

भारत में प्रशासनिक अनुवाद मुख्य रूप से अंग्रेजी पाठ के हिन्दी में तथा यदा-कदा दूसरी प्रादेशिक भाषाओं में रूपान्तरण के तौर पर होते हैं। अंग्रेजी भाषा का स्वभाव जटिल वाक्य संरचना का है, जबकि हिन्दी सहित अन्य भारतीय भाषाएँ मुख्यतः जनभाषा होने के चलते सरल वाक्य-विन्यास तथा सहज शिल्प की भाषाएँ हैं। भाषाओं का यह संरचनागत विभेद अनुवाद में चुनौती पैदा करता है। उदाहरण के लिएः-

क. The application of Sh. Chandra Prakash Tulasyan, an LDC from your office, who is under training in this institute is being forwarded here with for further necessary action.

आपके कार्यालय के अवर श्रेणी लिपिक श्री चन्द्र प्रकाश तुलस्यान इस समय इस संस्थान में प्रशिक्षण प्राप्त कर रहे हैं। उनका आवेदन आवश्यक कार्रवाई के लिए अग्रेषित किया जा रहा है।

ख. Chromium is widely used in various industries like leather, steel, chrome plating, paint manufacturing, wood preservation etc. Untreated effluents from these industries cause widespread contamination of water as been reported in several parts of the country.

क्रोमियम का उपयोग विभिन्न उद्योगों में व्यापक रूप से किया जाता है। इन उद्योगों में चमड़ा, स्टील, क्रोम प्लेटिंग, पेण्ट उत्पादन, काष्ठ परिरक्षण आदि प्रमुख हैं। इन उद्योगों से निकलने वाले द्रवीय पदार्थों को बिना उपचारित किये प्रवाहित करने से पर्यावरण में जल सन्दूषण फैलता है। देश के कई हिस्सों से ऐसी रिपोर्टें मिली हैं।

जैसा कि शुरू में कहा गया है, अनुवाद अनुसृजन है। सृजन का अनुसृजन। किन्तु किसी सृजन का अनुसृजन आसान नहीं होता। किसी विचार या भाव के सृजन में मूल लेखक के सामने किसी प्रकार की बन्दिश नहीं होती। उसे विचारों को रचना में ढालने की पूरी स्वतन्त्रता होती है। अभिव्यक्ति की पूरी छूट होती है। जैसा चाहे रचे, लिखे। परन्तु यह सुविधा अनुवादक को नहीं होती। उसे मूल रचना की लक्ष्मण रेखा के भीतर ही अपने ज्ञान और कौशल का कमाल दिखाना होता है। प्रशासनिक अनुवाद के प्रसंग में यह सीमा-बन्धन भी बड़ी चुनौती होती है। उदाहरण गौरतलब है—

Centre for Advanced Technology (CAT), Indore is constructing Synchrotron Radiation Sourcess (SRS) comprising Indus- 1&2, which will be a national facility for basic and applied research.

उन्नत प्रौद्योगिकी केन्द्र (सीएटी), इन्दौर इण्ड्स 1 ओर 2 वाले सिन्क्रोट्रॉन रेडिएशन सोर्सेज (एस आर एस) का निर्माण कर रहा है, जो बुनियादी तथा व्यावहारिक अनुसन्धान के क्षेत्र में राष्ट्रीय सुविधा केन्द्र होंगे।

प्रशासनिक अनुवाद में केवल पाठ के अनुवाद की ही समस्या नहीं होती, पाठ की शब्दावली, शैली एवं भाषा प्रवाह का निर्वाह भी अहम पहलू होता है। अनुवाद में इन सभी पहलुओं का उचित निर्वाह जरूरी होता है। साथ ही अनुवादकर्त्ता को उसके पाठक समाज का भी ध्यान रखना होता है। इससे अनुवाद में सहजता आती है और मूल पाठ की आत्मा भी सुरक्षित रहती है। ऐसा अनुवाद ही पाठक समाज की जरूरत को पूरा कर पाता है। वैसे भी प्रशासनिक अनुवाद का उद्देश्य होता है आज के आधुनिक सूचना समाज में लोक की आकांक्षा और अपेक्षा के अनुरूप तन्त्र की कार्यवाहियों और उपलब्धियों को जन-जन तक ले जाना। इस दृष्टि से देखने पर प्रशासनिक अनुवाद की चुनौतियाँ कम नहीं हैं। किन्तु प्रशासन के कामकाज के प्रति लोक की बढ़ती आकांक्षा और सूचना के प्रसार के इस जमाने में शासन और प्रशासन की सफलता और सार्थकता के लिए जरूरी है कि प्रशासनिक भाषा, भले ही वह अनुवादी क्यों न हो, अपनी चुनौतियों से पार पाये तथा मूल पाठ की भाषा से अपरिचित जन समाज में सूचना और जानकारी के प्रसार का सम्बल बने। कहना न होगा कि सम्बल की भाषा सरल और सहज स्वभाव की अकृत्रिम भाषा

होती है। ऐसी भाषा बनावटीपन से मुक्त सर्वसाधारण की समझ में आनेवाली भाषा होती है। आज के जमाने में संवेदनशील और उत्तरदायी प्रशासन के लिए बहुत जरूरी है कि उसकी भाषा जनता की आशा और आकांक्षा के अनुरूप हो। प्रशासनिक अनुवाद से भी यही अपेक्षा की जाती है ताकि वह अपनी चुनौतियों से पार पा सके। निम्नलिखित उदाहरण देखे जा सकते हैं—

क. Orders are issued from time to time and the progress made thereon is reviewed regularly by the Department of Official Language.

राजभाषा विभाग समय-समय पर आदेश जारी करता है और इस सम्बन्ध में प्रगति की नियमित रूप से समीक्षा करता है।

ख. No action on our part seems to be called for. If approved, the papers may be recorded.

इस पर हमारी ओर से किसी कार्रवाई की जरूरत नहीं दिखती। यदि अनुमति हो तो कागजों को रिकॉर्ड कर दिया जाये।

ग. It is the pleasure of the house to grant him leave ?

क्या सभा उन्हें अनुपस्थित रहने की अनुमति देना चाहती है ?

दुहराव का खतरा उठाते हुए भी यह कहना अप्रासंगिक नहीं होगा कि अनुवाद, जो दो भाषाओं के बीच सम्पन्न होनेवाला कर्म है, बड़ा ही चुनौतीपूर्ण कर्म है। अनुवाद न होता तो हमारी सभ्यता आज जैसी है, वैसी कतई नहीं होती। मानव समाज में ज्ञानोदय और उसके प्रसार में अनुवाद की भूमिका मूलबद्ध तथा उत्थानकारी रही है। यह एक स्वतन्त्र विमर्श का विषय है, जिसपर यहाँ चिन्तन का अवकाश नहीं है। तथापि अनुवाद को भाषान्तरण कहना उसे उसकी पहुँच, प्रभाव तथा प्रासंगिकता से काट कर संकुचित दायरे में देखना है। अनुवाद भाषा-संवाद है तो इसी सन्दर्भ में कि यह दो भाषाओं में संवाद के बहाने दो भाषा-भाषी समुदायों और उसके आचार-विचार, रीति-रिवाज, परम्परा एवं जीवन दर्शन तथा ज्ञानोपलब्धि के बीच आदान-प्रदान का सम्बन्ध जोड़ता है। इस सम्बन्ध का एक छोर हमारी सभ्यता के विकास के उन शुरुआती दिनों से जुड़ता है, जब हमारे आदिम पूर्वजों ने गुफाओं और कन्दराओं से निकलकर गणसमाज के रूप में समूहों में रहना शुरू किया होगा। जितने गण समूह उतनी भाषाएँ।

जाहिर है तब अनुवाद ही उनके बीच परस्पर संवाद का जरिया बना होगा। आज की विकसित दुनिया में भी किसी भाषा और समाज की उपलब्धियों को जानने का माध्यम अनुवाद ही है। इस दृष्टि से यह कहना गलत न होगा कि अनुवाद भाषा संवाद के बहाने सभ्यता संवाद है।

किसी भी सभ्यता की भाषा और उसके शब्द बड़े अर्थव्यंजक और निराले होते हैं। शब्दों का वही और उतना ही अर्थ नहीं होता, जितना कि उन्हें सुनते या पढ़ते हुए प्रतीत होता है। शब्द के अर्थ की अपरम्पारता विलक्षण होती है। 'एकः शब्दः सम्यक् ज्ञातः सुप्रयुक्तः स्वर्गे लोके च कामधुग्भवति'—पतंजलि। इसीलिए हमारी परम्परा में शब्द को ब्रह्म कहा गया है। ब्रह्म के उलट माया होती है। माया भी अपने भ्रमजाल से चकाचौंध और सम्मोहन का संसार पैदा करती है। कबीर इसे महाठगिनी कहते हैं—'माया महाठगिनी हम जानी।' अनुवाद में भाषान्तरण के बहाने असल में शब्दों के माया-संसार में प्रवेश और एक नये रचना-संसार का सृजन होता है। यह रचना-संसार मूलवत् नहीं होता। इस सृजन में मूल का कुछ छूट जाता है। रॉबर्ट फ्रॉस्ट इसे Loss in Translation कहते हैं। किन्तु कोई रचना या पाठ अनुवाद में ढलने के बाद एक नये रूप तथा नयी संवेदना से युक्त होकर जब नया जीवन ग्रहण करता है तो इस प्रक्रिया में उसके साथ कुछ जुड़ता भी है। इसे Gain in translation कहना उपयुक्त होगा। जैसे—

क. The Learned men and women were present in the meeting.

बैठक में विद्वान् पुरुष एवं विदुषी महिलाएँ उपस्थित थे।

ख. As he was a realist, Premchand depicted a true picture of his contemporary society in his writings.

चूँकि प्रेमचन्द यथार्थवादी साहित्यकार थे, इसलिए उन्होंने अपने लेखन में समसामयिक समाज का यथार्थ चित्र प्रस्तुत किया है।

ग. Every rule made under this Act shall be laid, as soon as may be after it is made, before each House of Parliament while it is in session, for a total period of thirty days which may be comprised in one session or in two or more successive sessions, and if, before the expiry of the session immediately following the session or the successive sessions aforesaid, both Houses agree in making any modification in the rule or both Houses agree that the rule should not be made, the rule shall thereafter have effect only in such modified form or be of no effect, as the case may be; so, however, that any such modification or annulment shall be without prejudice to the validity of anything previously done under that rule.

इस अधिनियम के अधीन बनाया गया प्रत्येक नियम, बनाये जाने के पश्चात् यथाशीघ्र, संसद के प्रत्येक सदन के समक्ष, जब वह सत्र में हो, कुल तीस दिन की अवधि के लिए रखा जायेगा। यह अवधि एक सत्र में, अथवा दो या अधिक आनुक्रमिक सत्रों में पूरी हो सकेगी। यदि उस सत्र के या पूर्वोक्त आनुक्रमिक सत्रों के ठीक बाद के सत्र के अवसान के पूर्व दोनों सदन उस नियम में कोई परिवर्तन करने के लिए सहमत हो जायें तो तत्पश्चात् वह ऐसे परिवर्तित रूप में ही प्रभावी होगा। यदि उक्त अवसान के पूर्व दोनों सदन सहमत हो जायें कि वह नियम नहीं बनाया जाना चाहिए तो तत्पश्चात् वह निष्प्रभाव हो जायेगा। किन्तु नियम के ऐसे परिवर्तित या निष्प्रभाव होने से उसके अधीन पहले की गयी किसी बात की विधिमान्यता पर प्रतिकूल प्रभाव नहीं पड़ेगा।

हालाँकि अनुवाद की सर्जना में ऐसी क्षति या पूर्ति को लेकर इतालवी जगत में गहरा असन्तोष मिलता है और उस असन्तोष की अभिव्यक्ति 'Translators are traitors' के रूप में विख्यात है। सवाल है कि अनुवादक अगर ठग (धोखेबाज) होते हैं तो इस ठगी से कैसे पार पाया जाये ? जवाब एक ही है— अभ्यास, अभ्यास और अभ्यास से। 'करत, करत अभ्यास ते जड़मति होत सुजान।' वैसे अनुवाद को अनुसृजन बनाने के क्रम में अनुवादक अगर थोड़ी ठगी भी करता है तो उद्देश्य की पवित्रता के चलते वह शिरोधार्य है।

पारिभाषिक अभिव्यक्ति और अनुवाद की रस्साकशी

पारिभाषिक शब्द संकल्पना का द्योतक है। किसी भाव, विचार अथवा संकल्पना को व्यक्त करने वाला शब्द पारिभाषिक कहलाता है। भाव या विचार अथवा संकल्पना को हमेशा शब्दों में व्यक्त किया जाता है, इसलिए पारिभाषिक सर्वदा शब्द होता है। पारिभाषिक के सहचर के रूप में शब्द का प्रयोग किया जाता है।

पारिभाषिक शब्द को अंग्रेजी में टेक्निकल टर्म (Technical Term) कहा जाता है।

पारिभाषिक शब्द वह विशिष्ट शब्द है, जो किसी क्षेत्र विशेष में एक निश्चित और परिसीमित अर्थ का द्योतन करता है तथा जिसके साथ कोई भाव, विचार या चिन्तन जुड़ा होता है और जिसकी परिभाषा निर्धारित होती है।

जाहिर है कि पारिभाषिक शब्द सामान्य शब्द नहीं होता। वह अर्थगत तथा सन्दर्भगत कारणों से विशिष्ट होता है। अर्थ तथा प्रयोग के मामले में पारिभाषिक शब्दों के कतिपय निश्चित गुण-धर्म होते हैं। फलतः पारिभाषिक शब्द सामान्य शब्दों से भिन्न और विशिष्ट होते हैं। चूँकि वैज्ञानिक सन्दर्भों में अर्थ और संकल्पना के स्तर पर सूक्ष्मता की जरूरत पड़ती है। अस्तु सूक्ष्म अर्थों और संकल्पनाओं को व्यक्त करने के लिए खास शब्दों और खासे शब्दों की आवश्यकता होती है। जरूरत के खास और खासे शब्द किसी भी भाषा में सुलभ नहीं होते। इसलिए पारिभाषिक शब्दों के मामले में विकसित-से-विकसित भाषा में भी समस्या रहती है। इस समस्या का निदान हर भाषा अपने ढंग से करती है। कभी-कभार सामान्य शब्द भी प्रयोग और सन्दर्भ के अनुरूप विशिष्ट अर्थ

व्यक्त करने की क्षमता विकसित कर लेते हैं। कदाचित् ऐसे मामलों में नये शब्द गढ़ने की सम्भावना नहीं रहती। प्रचलित शब्द ही नयी अर्थ छवि में ढल जाते हैं और पारिभाषिक शब्दों की समस्या दूर कर देते हैं।

किसी भी देश में वैज्ञानिक एवं तकनीकी क्षेत्र में जैसे-जैसे विकास होता है, वैसे-वैसे उसकी भाषा के शब्दों में प्रसंगानुसार नये-नये अर्थों का समावेश होता जाता है। जैसे—'अधिकारी', 'प्राधिकारी' तथा 'पदाधिकारी' शब्द। हिन्दी के ये तीनों शब्द कार्यालय और प्रशासन व्यवस्था से जुड़े सामान्य शब्द हैं। फिर भी प्रशासनिक व्यवस्था में इन तीनों ही शब्दों का खासा महत्त्व है। इसके बिना प्रशासनिक ढांचे की कल्पना नहीं की जा सकती। परन्तु ध्यान रखना होगा कि ऊपर से एक जैसा प्रतीत होने के बावजूद अधिकारी, प्राधिकारी और पदाधिकारी शब्द पर्यायवाची नहीं हैं। इन तीनों के तीन और सर्वथा भिन्न अर्थ होते हैं। अधिकारी कोई भी व्यक्ति हो सकता है। चाहे वह किसी भी प्रकार के अधिकार से सम्पन्न हो, अधिकारी होता है। अधिकार यहाँ शक्ति (power) का बोध कराता है। जैसे - प्रखण्ड विकास अधिकारी, अनुमण्डल अधिकारी, विधि अधिकारी आदि। किन्तु अधिकार कभी-कभी गुण और नियन्त्रण (क्वालिटी ऐण्ड कमाण्ड) का भी बोधक होता है। जैसे—अधिकारी विद्वान। इसी प्रकार, अधिकारी और प्राधिकारी में बड़ा फर्क होता है। फर्क केवल उच्चारण में ही नहीं, अधिकार के मामले में भी होता है। प्रशासनिक व्यवस्था में हर अधिकारी प्राधिकारी नहीं होता, जबकि हर प्राधिकारी बुनियादी तौर पर अधिकारी होता है। कोई अधिकारी जब तक निश्चित प्रशासनिक एवं/अथवा वित्तीय अधिकारों के प्रयोग के लिए नियंत्रक अधिकारी प्राधिकृत नहीं किया जाता, तब तक प्राधिकारी नहीं होता। इसी तरह 'पदाधिकारी' शब्द है। जैसा कि इसकी ध्वनि से स्पष्ट है, कोई भी पद धारक अधिकारी, पदाधिकारी होता है। पदाधिकारी पद से जुड़े हुए कर्तव्य के प्रयोग और निर्वहण के लिए नियुक्त, निर्वाचित अथवा नामित होता है। तथापि पदाधिकारी और अधिकारी में अन्तर होता है। प्रत्येक पद के कुछ कर्तव्य सुनिश्चित होते हैं। परन्तु प्रत्येक पद के कुछ अधिकार भी हों, यह जरूरी नहीं। प्रशासनिक ढांचे में हर अधिकारी पदाधिकारी होता है, किन्तु हर पदाधिकारी अधिकारी नहीं होता अर्थात् वह (पदाधिकारी) अधिकारों के प्रयोग के लिए शक्ति-सम्पन्न नहीं होता।

स्पष्ट है कि अनुसन्धान तथा विकास के साथ-साथ शब्दों की दुनिया में भी नये अर्थों तथा नयी संकल्पनाओं का आयाम जुड़ता रहता है। पारिभाषिक शब्दों में अर्थ का सूक्ष्म से सूक्ष्मतर और सूक्ष्मतम होते जाना दरअसल विकास और प्रगति से कदमताल मिलाना है। इसके लिए जरूरी नहीं कि हर समय भाषा के प्रचलित शब्दों को ही नये अर्थों से संवलित किया जाये। कभी-कभी नयी संकल्पना के लिए नये शब्द भी गढ़े जाते हैं तो कभी दूसरी भाषा के शब्दों के अनुवाद भी सहायक हो जाते हैं। कभी पराई भाषा के शब्दों के लिप्यन्तरण भी पारिभाषिक-शब्द-जगत के लिए बड़े काम के सिद्ध होते हैं। जैसे—इंजन, मशीन, क्लिनिक, परेड, नर्स, पुलिस, कमान, लेजर, टिकट, प्लेटफार्म आदि।

पारिभाषिक शब्द विशेषज्ञों एवं तकनीकविदों के अनुभव एवं अनुसन्धान के निष्कर्षों को लिपिबद्ध करने के प्रतीक होते हैं। ये प्रतीक विभिन्न ज्ञान शाखाओं-प्रशाखाओं से सम्बद्ध विशिष्ट शब्द होते हैं। ये सामान्य शब्द से अर्थ एवं व्यवहार दोनों रूपों में भिन्न होते हैं। इनकी जानकारी के अभाव में सम्बद्ध ज्ञान की दुनिया में प्रवेश करना असम्भव होता है। इसी असम्भव को सम्भव करने के लिए हर भाषा दूसरी भाषा से अपेक्षित पारिभाषिक अथवा तकनीकी शब्द उधार लेती है। हिन्दी में यह कार्य मुख्य रूप से अंग्रेजी के जरिये हुआ है। जैसे—गामा, बीटा, कार्बन, ग्लूकोज, हेमोग्लोबिन आदि।

पारिभाषिक शब्द असल में संकल्पनात्मक शब्द होते हैं। इसलिए पारिभाषिक शब्दों के अनुवाद की समस्या मूलतः संकल्पना के अनुवाद की समस्या होती है। मूल पारिभाषिक शब्द सीधे मूल संकल्पना से जुड़ा होता है। वह विशेषज्ञ अथवा आविष्कर्ता द्वारा दिया गया नामिक शब्द होता है। पारिभाषिक शब्द का अनुवाद सामान्यतः विषय विशेष का द्योतक किसी अन्य भाषा का शाब्दिक पर्याय मात्र होता है। पर्याय एक नहीं अनेक होते हैं। इसलिए पारिभाषिक शब्द की संकल्पना को किसी अन्य भाषा में पर्याय के माध्यम से व्यक्त करने में कमी-बेसी होने अर्थात् अल्पानुवाद या अत्यानुवाद होने की सम्भावना हमेशा बनी रहती है। दूसरे शब्दों में कहें तो मूल पारिभाषिक शब्द सीधे विषय विशेषज्ञ या अन्वेषक के अनुभव अथवा अनुसन्धान का सृजन होता है, जबकि उसका अनुवाद सूचना का भाषान्तरण मात्र। इसलिए पारिभाषिक शब्दों के अनुवाद में समस्या आती है।

पारिभाषिक शब्दों के अनुवाद की समस्या पाठ के सटीक, सुगम और यथेष्ट अन्तरण की समस्या होती है। साथ ही बोध के स्तर पर मूल जैसे प्रभाव उत्पन्न करने की समस्या होती है। अनूदित पाठ की व्यापक स्वीकार्यता अथवा ग्राह्यता की भी समस्या होती है। यदि अनुवाद मूल जितना ही सटीक, सुगम और प्रामाणिक हो तो भी वह मूल जितना ही ग्राह्य एवं प्रचलित होगा, इसकी गारंटी नहीं होती। अनुवाद की स्वीकार्यता एवं ग्राह्यता के कई कारण होते हैं। शिक्षा, प्रचलन, अभ्यास, लोकमानस और राजनीतिक, सामाजिक, भाषाई प्रसिद्धि आदि कई कारण। जैसे - डॉक्टर का अनुवाद चिकित्सक, इंजीनियर का अभियन्ता, पासपोर्ट का पारपत्र, पुलिस का आरक्षी, ड्राइवर का चालक, ऑपरेशन का शल्यक्रिया, टेलीविजन का दूरदर्शन, गजट का राजपत्र, रजिस्ट्रेशन का पंजीकरण, टेलीफोन का दूरभाष, प्रिन्सिपल का प्राचार्य, रेडियो का आकाशवाणी, पेन्टिंग का चित्रकारी, ट्रैफिक का यातायात, कॉलेज का महाविद्यालय आदि। कहने की जरूरत नहीं कि उदाहरण के अंग्रेजी शब्दों की तुलना में उनके अनुवाद किसी भी मायने में कम नहीं हैं। फिर भी व्यवहार में ये अंग्रेजी शब्द ही ज्यादा चलते हैं। इससे स्पष्ट होता है कि पारिभाषिक शब्दों के अनुवाद की भी अपनी समस्या होती है, जो शाब्दिक नहीं बल्कि इतर कारणों से स्वीकार्यता और ग्राह्यता की समस्या होती है। इस बारे में प्रसिद्ध भाषाविद् प्रो. सूरजभान सिंह ने तकनीकी शब्दावली की विकास-यात्रा पर विचार करते हुए बड़ी मार्के की बात कही है। उनकी बातों पर गौर करने से इस समस्या की पूरी तस्वीर साफ.हो जाती है। प्रो. सिंह कहते हैं —

"ज्ञान और शब्दावली का विकास एक साथ होता है। हर नया ज्ञान भाषा से शब्दावली और अभिव्यक्ति की माँग करता है। जो अन्वेषक नये ज्ञान या विचार को जन्म देता है, वही उसे नाम या शब्द भी देता है। सामाजिक ग्राह्यता और मानकता पाने के लिए इस शब्द को प्रयोग की एक लम्बी प्रक्रिया से गुजरना पड़ता है। मौलिक ज्ञान के साथ विकसित तकनीकी शब्द की विकास की यह एक सहज और प्राकृतिक प्रक्रिया है। इसके विपरीत जो देश अन्य देशों में विकसित नये वैज्ञानिक और तकनीकी ज्ञान को उधार लेकर अपनी भाषा में उतारना चाहते हैं, वहाँ शब्दावली विकास की प्रक्रिया एक भिन्न मार्ग का अनुसरण करती है। यह प्रक्रिया प्राकृतिक और सहज नहीं, सायास और

नियोजित होती है, जिसमें तकनीकी शब्दों का नहीं बल्कि तकनीकी पर्यायों या समानार्थी शब्दों का विधान किया जाता है।"[1]

जाहिर है कि पारिभाषिक शब्द प्रयोजनमूलक भाषिक प्रतीक होते हैं, जो ज्ञान विशेष की अभिव्यक्ति के लिए विशेषज्ञ अथवा अन्वेषक द्वारा निर्मित किये जाते हैं। अस्तु इनके अनुवाद में समस्या उत्पन्न होना स्वाभाविक है। कारण कि यह अनुवाद सीधे संकल्पना का अन्तरण नहीं होता, बल्कि संकल्पना की अभिव्यक्ति का अन्तरण होता है। पुनः यह अन्तरण सायास और नियोजित होता है। इसमें स्वाभाविकता प्रायः गायब रहती है और समानार्थी शब्दों का ही कृत्रिम विधान होता है। इस तरह से देखा जाये तो पारिभाषिक शब्दों के अनुवाद की समस्या संकल्पना बनाम उधार या सृजन बनाम अंगीकरण या कथन बनाम अन्तरण अथवा शब्द बनाम पर्याय की समस्या है। ऐसा अनुवाद चूँकि सायास और नियोजित होता है, इसलिए इसमें शिथिलता, अबोधगम्यता, जटिलता आदि का होना लाजिमी है।

वैसे पारिभाषिक शब्दों का अनुवाद सर्वदा शिथिल अथवा जटिल ही हो, यह जरूरी नहीं। पारिभाषिक शब्दों के बहुतेरे अनुवाद भी कम बेहतरीन अथवा कम लोकप्रिय नहीं हैं। जैसे—

Foreign	-	विदेश	Sublime	-	उदात्त
Fee	-	शुल्क	Artificial	-	कृत्रिम
Matter	-	पदार्थ	Science	-	विज्ञान
Female	-	मादा	Art	-	कला
Male	-	नर	Commission	-	आयोग
Magnet	-	चुम्बक	Bio Technic	-	जैव तकनीक
Mataphor	-	अलंकार	Tribunal	-	न्यायाधिकरण
Nation	-	राष्ट्र	Environment	-	पर्यावरण
Tragedy	-	त्रासदी	Poetic Justice	-	काव्यन्याय
Atom	-	परमाणु	Solid	-	ठोस
Export	-	निर्यात	Cottage Industry	-	कुटीर उद्योग
Energy	-	ऊर्जा	Pollution	-	प्रदूषण
Import	-	आयात	Parliament	-	संसद
Administration	-	प्रशासन	Constitution	-	संविधान

जहाँ तक पारिभाषिक शब्दों के अनुवाद के शिथिल या अबोधगम्य अथवा जटिल होने की बात है, तो इस सम्बन्ध में वास्वविकता कुछ और है। इस सम्बन्ध में दो तथ्य ध्यातव्य हैं। पहला यह कि पारिभाषिक शब्द संकल्पनात्मक शब्द होते हैं और संकल्पना सरल नहीं संश्लिष्ट होती है। कोई भी विषय, वस्तु या भाव जब सरल, सुगम अथवा सहज से विशिष्ट बनता है तो वह संश्लिष्ट हो जाता है। फिर संश्लिष्ट चीजों या भावों का बोध आसान नहीं रहता। प्रयत्न की माँग करता है। स्वभावतया विशिष्ट संकल्पनाओं को भाषा में व्यक्त करनेवाले शब्द भी बोलचाल के शब्द से अलग विशिष्ट हो जाते हैं। दुनिया की सभी भाषाओं में ऐसा ही होता है। अंग्रेजी में भी। अंग्रेजी में सामान्य बातें जिन शब्दों में कही जाती हैं, उन्हीं शब्दों में विज्ञान, प्रौद्योगिकी, कला या दर्शन की बातें नहीं कही जा सकतीं। हिन्दी में भी ऐसा ही होता है। सामान्य हिन्दी जानने-समझनेवालों को किसी विषय का गूढ़ ज्ञान हिन्दी माध्यम से भी समझने में कठिनाई होती है, क्योंकि उस विषय के पारिभाषिक शब्द हिन्दी के शब्द होते हुए भी उक्त व्यक्ति के लिए अबूझ होते हैं। जैसे—संवेग, अनुभूति, काव्यन्याय, मधुमति भूमिका, उदात्त, कवित्व, साधारणीकरण आदि। परन्तु हिन्दी भाषी विषय विशेषज्ञों या जानकारों के साथ ऐसा नहीं होता, क्योंकि वे ऐसे पारिभाषिक शब्दों से परिचित और अभ्यस्त होते हैं।

दूसरा तथ्य शब्द निर्माण की प्रक्रिया और व्यावहारिकता से सम्बन्धित है। भारत की अधिकतर भाषाओं का स्रोत संस्कृत है। प्रायः सभी भाषाओं ने अपनी शब्दावली को समृद्ध करने में यथावश्यकता संस्कृत के शब्द अपनाये हैं। संस्कृत के शब्द धातु आधारित और अपेक्षाकृत अधिक उर्वर होते हैं। एक शब्द से अनेक शब्द बनाने में सुगम होते हैं। अंग्रेजी के एक शब्द से बने अनेक शब्दों के अनुवाद करने में संस्कृत शब्दों का आधार बड़ा कारगर होता है। जैसे— अंग्रेजी का शब्द Law। इससे कितने शब्द बनाये गये हैं और उनके अनुवाद में संस्कृत का आश्रय कितना सुगम हुआ है, इसे प्रस्तुत उदाहरण से समझा जा सकता है—

Law	-	विधि
Legal	-	वैध, विधिक, विधि विषयक
Illegal	-	अवैध
Legalist	-	विधिज्ञ

Legality	-	वैधता
Legalization	-	वैधीकरण
Legaly	-	विधितः

वैसे Law के अनुवाद के रूप में 'कानून' शब्द भी मान्य है और आम तौर पर यही शब्द प्रयुक्त होता है। किन्तु Law से विन्यस्त अन्य शब्दों के अनुवाद में 'विधि' शब्द से जैसी सुविधा होती है, वैसी 'कानून' से नहीं। 'कानून' से अधिक-से-अधिक कानूनी, कानूनियत, कानूनन जैसे तीन शब्द प्रचलन में हैं। अतः Law से व्युत्पन्न सभी शब्दों के अनुवाद के लिए यदि 'कानून' शब्द को आधार बनाया जाये तो मुश्किल होगी। फिर अनुवादक को 'कानून' शब्द के उद्गम अरबी-फारसी स्रोतों की खाक छाननी पड़ेगी, जो आसान नहीं है। वैसे भारत में पारिभाषिक अथवा तकनीकी शब्दों के अनुवाद में अत्यन्त प्रचलित उर्दू शब्दों को अपनाये रखने की प्रथा भी है। पर हर क्षेत्र में यह प्रथा काम नहीं आती।

उपर्युक्त तथ्यों के बावजूद पारिभाषिक शब्दों के हिन्दी अनुवाद कुछ लोगों को दुरूह अथवा जटिल लगते हैं। पर वस्तुस्थिति ऐसी नहीं है। दुरूहता अथवा जटिलता का सम्बन्ध वस्तुतः व्यवहार से जुड़ा है। स्नान करना सामान्य कर्म है। परन्तु महीनों तक नहीं नहानेवाले व्यक्ति के लिए नहाना कठिन काम होता है। ऐसे ही पारिभाषिक शब्दों की जटिलता वास्तव में व्यवहार की कमी के कारण होती है।

इस सम्बन्ध में महत्त्वपूर्ण बात यह भी है कि पारिभाषिक शब्दों के हिन्दी रूप केवल हिन्दीभाषी लोगों के लिए ही नहीं हैं। ऐसे शब्दों का विकास और अनुवाद संविधान के अनुच्छेद 351 की भावना के अनुरूप हुआ है और होता है। इसके पीछे निहित बड़ा उद्देश्य अखिल भारतीय स्वीकृति का है। इसीलिए शब्दावली निर्माण में संस्कृत मूल को वरीयता दी जाती है, क्योंकि सभी भारतीय भाषाओं में कमोबेश संस्कृत मूल के शब्द हैं और संस्कृत आधारित शब्दों की स्वीकार्यता प्रायः अखिल भारतीय है।

अलबत्ता हिन्दी में पारिभाषिक शब्दों को लेकर जो समस्या है, वह मात्र अनुवाद की समस्या नहीं है। वह समस्या पारिभाषिक शब्दों को अपनाने, उसे समझने और उसे व्यवहार में लाने की समस्या भी है। चूँकि हमारा सम्पूर्ण

आधुनिक वैज्ञानिक तथा तकनीकी ज्ञान उधार का ज्ञान है। हम उसे अंग्रेजी भाषा के माध्यम से प्राप्त करते हैं। फिर उसे हम अपनी भाषा-राजभाषा हिन्दी में उतारने के लिए अनुवाद करते हैं। जबकि हिन्दी में आधुनिक ज्ञान-विज्ञान के अपने पारिभाषिक शब्द नहीं हैं। जो हैं वे अंग्रेजी शब्दों के ही अनूदित रूप हैं। इसलिए वे सहज नहीं, सायास और नियोजित हैं। फलतः हिन्दी के पारिभाषिक शब्द संकल्पना द्योतक वैज्ञानिक और तकनीकी शब्द नहीं, बल्कि मूल शब्दों के तकनीकी पर्याय अथवा समानार्थी शब्द हैं। ऐसे में पर्यायों अथवा समानार्थी शब्दों के सहारे किया गया वैज्ञानिक तथा तकनींकी साहित्य का अनुवाद हमें कृत्रिम लगने लगता है। कहना न होगा कि कृत्रिम लेखन की विश्वनीयता नहीं होती। उसके प्रति भरोसा नहीं जमता। फिर ऐसे ज्ञान का आगे प्रयोग या व्यवहार भी निर्भ्रान्त नहीं रहता। हिन्दी में पारिभाषिक शब्दों के अनुवाद तथा अनूदित पारिभाषिक शब्दों के अबोधगम्य होने अथवा असहज प्रतीत होने की समस्या के कारणों में एक कारण यह भी है। इसे नजरअंदाज नहीं किया जा सकता।

एक ऐसे समाज में जहाँ सदियों तक राजनीतक गुलामी रही हो, जहाँ जनता का निर्बाध शोषण किया गया हो, जहाँ जन आकांक्षा का क्रूर दमन हुआ हो, जहाँ औपनिवेशिक शासन की ओर से शिक्षा और विकास की कोई वास्तविक पहल न की गयी हो, जनमानस का कुन्द और जड़मति हो जाना स्वाभाविक है। फिर ऐसे समाज की प्रतिगामिता मन में चिढ़ नहीं पैदा करती, बल्कि दयाभाव उपजाती है। भारत के सपूतों, देशभक्तों और स्वप्नदर्शी बुद्धिजीवियों ने गुलामी के दिनों में भी देश को जहालत से उबारने के हर सम्भव प्रयास किये। राजनीतिक और सामाजिक क्षेत्र में ही नहीं, शिक्षा एवं ज्ञान के क्षेत्र भी ऐसे काफी प्रयास किये गये। देश में आधुनिक उच्च शिक्षा, शोध तथा वैज्ञानिक एवं प्रौद्योगिकीय विकास की नींव उन्हीं दिनों रखी गयी। शान्ति निकेतन, बनारस एवं अलीगढ़ विश्वविद्यालयों के साथ-साथ स्टील, वैमानिकी, बैंकिंग आदि क्षेत्रों में महत्त्वपूर्ण प्रतिष्ठानों की स्थापना उन्हीं दिनों हुई। तकनीकी शब्दावली के निर्माण और विज्ञान की पुस्तकों के लेखन के कार्य भी पराधीन भारत में ही शुरू हुए। बंगाल के राजा राजेंद्र लाल मित्र ने पराधीन भारत में ही, सन् 1877 में भारतीय भाषाओं में वैज्ञानिक शब्दावली निर्माण की एक योजना बनायी थी। इस योजना का नाम था — "यूरोपीय वैज्ञानिक शब्दों के भारतीय

भाषाओं में रूपान्तरण की योजना।'' सन् 1888-1893 के बीच प्रो0 टी0 के0 गज्जर ने गुजरात के कलाभवन नामक पॉलिटेक्निक द्वारा बहुभाषिक वैज्ञानिक शब्दावली निर्मित करायी। सन् 1893 से 1906 के बीच नागरी प्रचारिणी सभा, काशी ने 'हिन्दी साइण्टिफिक ग्लॉसरी' नामक पारिभाषिक कोश तैयार कराया। तत्पश्चात सन् 1940 में सुखसम्पतिराय भण्डारी, अजमेर तथा 1948 में दांते व कर्वे के क्रमशः इंग्लिश-हिन्दी कोश और शास्त्रीय परिभाषा कोश भी प्रकाश में आये। इस कड़ी में बंगीय साहित्य परिषद्, गुरुकुल कांगड़ी, साइण्टिफिक सोसाइटी ऑफ अलीगढ़ तथा उस्मानिया विश्वविद्यालय के प्रयास भी मौलिक और प्रशंसनीय रहे।

परन्तु सन् 1947 में जब देश आजाद हुआ और सन् 1950 में जब देश में संविधान का शासन लागू हुआ तो नयी परिस्थितियों, नयी आशा-आकांक्षाओं, नयी समस्याओं एवं प्रगति और विकास की नयी अपेक्षाओं के मद्देनजर आधुनिक ज्ञान और अनुसन्धान के क्षेत्र में आवश्यक कार्रवाई अपरिहार्य हो गयी। संविधान में हिन्दी को संघ की राजभाषा का दर्जा मिला और प्रादेशिक भाषाओं को भी प्रदेश-स्तर की सम्प्रेषण व्यवस्था में नयी भूमिकाएँ प्रदान की गयी। फिर हिन्दी को राजभाषा तथा आधुनिक ज्ञान-विज्ञान एवं प्रौद्योगिकी की नयी भाषिक जरूरतों को पूरा करने के लिए सक्षम तथा सम्पन्न करने की आवश्यकता महसूस हुई। इन्हीं परिस्थितियों में भारतीय भाषाओं विशेषकर हिन्दी के आधुनिकीकरण एवं मानकीकरण की प्रक्रिया आरम्भ हुई।

संविधान लागू हाने के तत्काल बाद सितम्बर, 1950 में भारत सरकार ने एक वैज्ञानिक शब्दावली मण्डल का गठन किया। इस मण्डल का काम राष्ट्रीय स्तर पर व्यवहार होनेवाले वैज्ञानिक एवं तकनीकी शब्दों का सृजन करना था। इस मण्डल ने शब्द-निर्माण की अन्तरराष्ट्रीय पद्धति को अपनाया और 1960 तक लगभग तीन लाख वैज्ञानिक तथा तकनीकी शब्द बनाये। फिर राष्ट्रपति के 27 अप्रैल, 1960 के आदेश के अन्तर्गत शिक्षा मन्त्रालय के अधीन अक्तूबर 1961 में वैज्ञानिक तथा तकनीकी शब्दावली हेतु एक स्थायी आयोग स्थापित हुआ। इस आयोग द्वारा अब तक विज्ञान की विभिन्न शाखाओं तथा मानविकी, कृषि, प्रशासन, वानिकी आदि के लगभग 08 लाख शब्द तैयार किये जा चुके हैं। प्रयोग एवं प्रसार के मद्देनजर अब ये सभी शब्द

कम्प्यूटर आधारित राष्ट्रीय शब्दावली बैंक के डाटाबेस में संचित तथा संसाधित किये जा चुके हैं। कोश निर्माण की प्रक्रिया को तीव्र तथा सहज सुलभ बनाने के उद्देश्य से इन शब्दों को निकनेट (NICNET) उपग्रह के जरिये देश के विभिन्न स्थानों में तुरन्त प्राप्त किया जा सकता है।

इसी कड़ी में 01 मार्च, 1971 को केन्द्रीय अनुवाद ब्यूरो की स्थापना हुई, जिसका उद्देश्य भारत सरकार के कार्यालयों के कामकाज में अनुवाद एवं प्रशिक्षण के माध्यम से पारिभाषिक शब्दावली के प्रयोग की एकरूपता कायम करना है। साथ-ही-साथ अंग्रेजी से हिन्दी अनुवाद में कौशल विकास के जरिये राजभाषा हिन्दी में कामकाज का वातावरण तैयार करना है।

जैसा कि पूर्व में कहा जा चुका है, भारत में वैज्ञानिक एवं तकनीकी लेखन का कार्य आजादी से बहुत पहले उन्नीसवीं सदी में ही आरम्भ हो चुका था। यह कार्य मूलतः भारतीय जनमानस में वैज्ञानिक चेतना के प्रसार के निमित्त था। इसके अन्तर्गत हिन्दी तथा अन्य भारतीय भाषाओं में वैज्ञानिक साहित्य का सृजन हो रहा था। साथ-ही-साथ वैज्ञानिक विषयों से सम्बन्धित पारिभाषिक शब्दों का कोश निर्माण भी हो रहा था। यद्यपि यह कार्य अंग्रेजों और अंग्रेजी की दासता से मुक्ति तथा देशाभिमान की भावना से प्रेरित भारत में वैज्ञानिक लेखन के लिए नींव का निर्माण था, तथापि व्यक्ति तथा छोटी और क्षेत्रीय संस्थाओं के प्रयत्न होने के कारण असम्बद्ध, अस्फुट और एक तरह से अनुवाद आधारित था। ऐसे सभी प्रयत्नों की आधार-भाषा अंग्रेजी थी। यही स्थिति आज भी है और यथावत् है। चूँकि हमारा वैज्ञानिक और तकनीकी ज्ञान यूरोप और अमेरिका में विकसित ज्ञान का अनुसरण है। अतः हमारी वैज्ञानिक और तकनीकी शब्दावली भी मौलिक नहीं, अनुवाद आधारित है।

विकास की स्वाभाविक प्रक्रिया में ज्ञान और उसे अभिव्यक्त करनेवाले शब्दों का सन्धान एक साथ होता है। किन्तु मौलिक चिन्तन और अनुसन्धान में पिछड़ा हुआ समाज जब अनुसरण के द्वारा विकास करना चाहता है तो उसे विकास की भाषा का भी अनुसरण करना पड़ता है। ऐसे समाज की मनोदशा जटिल और उथल-पुथल से भरी होती है। उसमें उधार लेने की आदत होती है तो स्वावलम्बी बनने की आकांक्षा भी। ऐसे समाज में आदत और आकांक्षा की रस्साकशी हर तरफ व्याप्त रहती है। अभिव्यक्ति और उसके औजारों में भी।

ऐसे समाज में विभिन्न भाषाई तथा क्षेत्रीय अवधारणाओं का टकराव स्वाभाविक तथा अनिवार्य होता है। भारत में शब्दावली निर्माण के क्षेत्र में तीन परस्पर विरोधी विचारधाराओं का मिलना इसी का परिणाम है। ये विचारधाराएँ हैं—शुद्धतावादी, हिन्दुस्तानी तथा आँग्लवादी। चौथी विचारधारा उन मध्यममार्गियों की भी मिलती है, जो शब्दावली निर्माण में सन्तुलित दृष्टि अपनाने का पक्षधर है। भारत में वैज्ञानिक एवं तकनीकी शब्दावली के सृजन और अनुसृजन (अनुवाद) की समस्या को समझने तथा उसका निराकरण करने के लिए यहाँ इन विचारधाराओं की थोड़ी चर्चा जरूरी है।

शुद्धतावादी : इस विचारधारा के प्रणेता डॉ. रघुवीर थे। उन्होंने संस्कृत के 500 धातुओं, 20 उपसर्गों तथा 80 प्रत्ययों की सहायता से लगभग डेढ़ लाख शब्दों का एक अंग्रेजी-हिन्दी तकनीकी कोश सन् 1955 में तैयार किया। शब्द निर्माण में वे उद्‌भट थे और पूर्णतः भारतीयता के पक्षधर। अभियन्ता, यन्त्र, भौतिकी, यान, वायुयान, पंजीकरण शब्द उन्हीं के सृजन हैं। उनके शब्द निर्माण के कतिपय सिद्धान्त आगे चलकर पाथेय बने। उनकी संक्षिप्त चर्चा यहाँ अप्रासंगिक न होगी। डॉ. रघुवीर का मानना था कि —

(1) पारिभाषिक शब्दों के मामले में जितने शब्द अंग्रेजी में हों, उतने ही हिन्दी में भी होने चाहिए। जैसे Power के लिए शक्ति, Force के लिए बल, Energy के लिए ऊर्जा।

(2) अंग्रेजी पारिभाषिक शब्दों का अनूदित या हिन्दी रूप सार्थक होना चाहिए। जैसे -

Right	-	अधिकार
Authority	-	प्राधिकार
Prerogative	-	परमाधिकार
Previlege	-	विशेषाधिकार
Monopoly	-	एकाधिकार

(3) अंग्रेजी के एक शब्द का अनुवाद हिन्दी में यथासम्भव एक शब्द से ही किया जाना चाहिए, व्याख्यात्मक शब्द से नहीं। जैसे— Signal के लिए संकेतक न कि अग्निरथगमनागमन सूचक लौहपट्टिका।

(4) यथासम्भव उपसर्गों का अनुवाद उपसर्गों से और प्रत्ययों का अनुवाद प्रत्ययों से करना चाहिए। जैसे, ग्रीक मूल शब्द Phos- प्रकाश का पर्याय है। इसमें phorus- माने भर (वाहक) जब जुड़ता है तो बनता है - phosphorus अर्थात् भास्वर (संस्कृत)।

(5) अंग्रेजी के एक शब्द से बने विभिन्न रूपों के लिए हिन्दी में भी एक ही शब्द से विभिन्न शब्द व्युत्पादित किये जायँ। जैसे —

Register	-	पंजी
Registered	-	पंजीकृत
Registrar	-	पंजीकार
Registrator	-	पंजीयक
Registration	-	पंजीयन या पंजीकरण

(6) पारिभाषिक शब्द भाषा का विशिष्ट और शास्त्रीय शब्द होता है। इसका निर्माण सोच विचार कर ही करना होता है। सोचने का काम जब आ जाता है, तब स्वाभाविकता चली जाती है। शास्त्रीय शब्द सदैव जनसाधारण में धीरे-धीरे ही फैलते हैं, प्रयोग में आने के बाद वे दुरूह नहीं रहेंगे। भारत की अधिकांश भाषाओं की आकर भाषा संस्कृत है। सभी भाषाओं के पारिभाषिक शब्द एक जैसे हों तो वे संस्कृत से ही हो सकते हैं। अंग्रेजी के 'इलैक्शन' का अनुवाद यदि चुनाव करें तो यह अलग-अलग भाषाओं में अलग-अलग होगा। लेकिन चुनाव के स्थान पर निर्वाचन रखें तो वह सभी भाषाओं में मिल जायेगा। चुनाव शब्द का आगे विकास नहीं हो सकता, लेकिन निर्वाचन शब्द से और शब्द बन सकते हैं, जैसे - निर्वाचक, निर्वाचित आदि।

हिन्दुस्तानी—इस विचारधारा के प्रवर्तक हिन्दुस्तानी कल्चर सोसाइटी के प्रमुख पं. सुन्दरलाल थे। उस्मानिया विश्वविद्यालय भी इस विचारधारा का प्रबल समर्थक था। पं. सुन्दरलाल का कहना था कि हिन्दी में पारिभाषिक शब्दों का निर्माण हिन्दुस्तानी, उर्दू तथा बोलचाल के शब्दों के आधार पर करना चाहिए। संस्कृत को आधार बनाने से शब्दों की क्लिष्टता बढ़ेगी। इस पद्धति से 1953 में हैदराबाद उस्मानिया विश्वविद्यालय ने एक अंग्रेजी-हिन्दी कोश निकाला, जिसमें अंग्रेजी शब्दों के हास्यास्पद अनुवाद थे। जैसे—

Integration	-	जोड़मेलन
Individual	-	एकजन
Individualise	-	एकजनियाना
Particular	-	खास
Particularise	-	खासियाना

आँग्लवादी- डॉ. शान्तिस्वरूम्प भटनागर, डॉ. जे सी घोष, डॉ. वीरबल साहनी, डॉ. डी. लूथरा, राजाजी राजगोपालचारी जैसे अंग्रेजी शिक्षा पाये वैज्ञानिकों, वकीलों तथा उच्च अधिकारियों का वर्ग अंग्रेजी शब्दों को हिन्दी में ज्यों-का-त्यों ग्रहण कर लेने का पक्षधर था। उनके अनुसार ऐसा करने से हिन्दी अनुवाद में समय खराब नहीं होगा और पारिभाषिक शब्दों का अन्तरराष्ट्रीय रूप यथावत् रहने से वैश्विक प्रगति और विकास के साथ हमारा तालमेल बना रहेगा। इस आधार पर Gray's Anatomy पुस्तक का हिन्दी में अनुवाद भी हुआ, जिसमें Blood को 'ब्लड', Mind को 'माइन्ड', Temperature को 'टेम्परेचर', Treatment को 'ट्रीटमेण्ट', Parallel को 'पैरेलल' लिखा गया।

उल्लेखनीय है कि हिन्दी समाज ने पारिभाषिक शब्द निर्माण की दिशा में उपर्युक्त तीनों विचारधाराओं में से किसी को भी पूरी तरह स्वीकार नहीं किया। उसे न तो डॉ. रघुवीर का शुद्धतावादी नजरिया पसन्द आया, न ही पं. सुन्दरलाल का देसी नजरिया। अंग्रेजी का पिछलग्गू बनना भी उसे मंजूर नहीं हुआ। क्योंकि हर भाषा समाज अपने आन्तरिक और अव्यक्त नियमों से विकास की ओर अग्रसर होता है। बाह्य दबाव इसमें काम नहीं करता। इसमें समाज का व्यावहारिक नजरिया, भाषा का व्याकरण और भाषा का लिखित तथा मौखिक रूप आदि की मिली-जुली भूमिका होती है। इसलिए हिन्दी में भौतिकी, विधान एवं वायुयान जैसे शब्द चले तो कानून और हवाई जहाज जैसे शब्द भी। साथ ही साथ पुलिस, पेट्रोल और प्लेटफॉर्म जैसे शब्द भी अपना लिये गये।

मध्यमार्गी—भाषा विकास के उपर्युक्त मध्यममार्गी स्वभाव को समझते हुए भारत सरकार ने सन् 1961 में वैज्ञानिक तथा तकनीकी शब्दावली आयोग की स्थापना की। इसका उद्देश्य भाषा विकास की दिशा में सन्तुलित दृष्टि

अपनाना, पारिभाषिक शब्दावली के मानक पर्यायों का विकास करना तथा राष्ट्रीय स्तर पर सभी भारतीय भाषाओं के लिए शब्दावली निर्माण के सिद्धान्त सुनिश्चित करना था। आयोग ने उपर्युक्त तीनों विचारधाराओं के मूल तत्त्वों का समाहार करते हुए तथा भारत की बहुभाषिक वास्तविकता को ध्यान में रखकर शब्दावली विकास के लिए मध्यममार्ग अपनाया। आयोग ने इस हेतु कुल 14 सिद्धान्तों का निरूपण किया, जिनके सार निम्नवत् है—

क. अन्तरराष्ट्रीय तकनीकी शब्दों को यथा-सम्भव उनके प्रचलित अंग्रेजी रूपों में ही देवनागरी में लिप्यन्तरित कर अपना लेना चाहिए। जैसे विटामिन, कैलोरी, मीटर, रेडियो, टॉर्च, रडार, साइन आदि।

ख. संकल्पनात्मक शब्दों का सामान्यतः सार्थक पर्यायों के द्वारा अनुवाद किया जाना चाहिए। जैसे—संघनन, मुद्रास्फीति, सापेक्षता, घर्षण, विलय, आवधिक चक्र आदि।

ग. हिन्दी शब्दों का निर्धारण करते समय मध्यममार्गी दृष्टिकोण अपनाना चाहिए और सामान्य प्रयोग के पारिभाषिक शब्दों के लिए हमारी भाषाओं में प्रचलित शब्दो का ही व्यवहार करना चाहिए। जैसे - परमाणु, प्रमेय, महाद्वीप, तार, दस्तावेज, शिनाख्त, विषुवत रेखा, आकाशवाणी, संसद, सदन आदि।

घ. अन्य भारतीय भाषाओं में उपलब्ध पारम्परिक तकनीकी शब्दों को जरूरत के मुताबिक अपना लेना चाहिए। जैसे - Green room के लिए बँगला का 'साजगृह', Hypothecation के लिए तमिल का 'आडमान', Orientalism के लिए संस्कृत का 'प्राच्यविद्या', slum के लिए, मराठी का झोंपड़पट्टी आदि।

ङ. नये शब्दों के निर्माण में संस्कृत धातुओं को आधार बनाना चाहिए और सरल, सुबोध तथा शुद्ध शब्द बनाने चाहिए। जैसे अन्तरिक्ष, पर्यावरण, संसाधक, कुंजीपटल, संकाय, अभियन्ता आदि।

शब्द निर्माण के सम्बन्ध में उपर्युक्त चारों मतों पर आग्रह तथा दुराग्रह से हटकर और तटस्थ नजरिये से विचार करने पर मध्यमार्गी तरीका व्यावहारिक, सही और प्रयोक्ता हितैषी लगता है। इसके साथ ही यह समझना होगा कि वैज्ञानिक तथा तकनीकी शब्दावली आयोग के सिद्धान्त सन्तुलित, प्रगतिशील एवं परिणामोन्मुख हैं। आयोग द्वारा ज्ञान-विज्ञान की विभिन्न शाखाओं और प्रशाखाओं के लिए अब तक आठ लाख के करीब शब्दों एवं पर्यायों का निर्माण

और निर्धारण इसी का नतीजा है। इसमें परम्परागत, नवागत, नवनिर्मित और अनुवाद यानी चार प्रकार के शब्द हैं। इन्हीं शाब्दिक प्रकारों का सहारा लेकर कोई भाषा सम्पन्न और आधुनिक भावबोध को व्यक्त करने में सक्षम तथा समर्थ बनती है।

शब्दों के उक्त प्रकार वास्तव में शब्द निर्माण के क्रम में अपनायी जानेवाली चार प्रक्रियाओं के परिणाम हैं। शब्द निर्माण की चार प्रक्रियाएँ होती हैं—ग्रहण (Adoptation), अनुकूलन (Adaptation), सृजन (Creation) और अनुवाद (Translation)। अंग्रेज भाषाविद् स्टीफन अल्मन (Stephen Ullman) ने भी भाषा में शब्दावली की कमी को दूर करने के लिए चार तरीकों का उल्लेख किया है। वे कहते हैं—

"Four methods are at the speaker's disposal when a gap in the vocabulary has to be filled. He can either create a word from a scratch or resort to one of the usual processes of word formation or borrow a term from same other language or change the weaving same existing word."[2]

अर्थात् — "शब्दावली की कमी को पूरा करने के लिए चार तरीके वक्ता के पास होते हैं। वह या तो शब्द निर्माण की सामान्य प्रक्रिया का आश्रय ले या किसी अन्य भाषा से पारिभाषिक शब्द उधार ले या कामचलाऊ शब्दों में से किसी नये शब्द का निर्माण करे अथवा उपलब्ध शब्द का अर्थ परिवर्तन करे।"

पारिभाषिक शब्दावली के अनुवाद की समस्या पर विचार के इस सिलसिले को आगे बढ़ाते हुए यहाँ हम शब्द निर्माण की विभिन्न चार प्रक्रियाओं को स्पष्ट करने का प्रयास करेंगे।

ग्रहण—पारिभाषिक शब्दावली निर्मित करते समय हर विकासशील भाषा विदेशी और विकसित भाषा के प्रचलित पारिभाषिक शब्दों को ज्यों-का-त्यों ग्रहण कर लेती है। इससे नये शब्द निर्मित करने का श्रम, समय और संसाधन व्यय होने से बच जाता है। साथ ही मूल पारिभाषिक शब्दों को अपनाने से वैज्ञानिक, औद्योगिक तथा तकनीकी क्षेत्रों में पूरी दुनिया के साथ संवाद एवं सम्पर्क सहज हो जाता है। हिन्दी में इस पद्धति के तहत ढेर सारी नामवाची वैज्ञानिक एवं तकनीकी अभिव्यक्तियाँ अपनायी गयी हैं। साथ ही पेट्रोल, डीजल, इंजन, मोटर, टिकट, टार्च, प्लेटफॉर्म, स्टेशन, बिस्कुट आदि

भारतीय भाषाओं में रचे-पचे शब्दों को भी ज्यों-का-त्यों गृहीत कर लिया गया है। हिन्दी पारिभाषिक शब्दावली के लगभग 25 प्रतिशत शब्द ऐसे ही गृहीत विदेशी शब्द हैं। ये शब्द निर्विवादरूप से अखिल भारतीय स्तर पर प्रचलित हैं।

अनुकूलन—इसके अन्तर्गत विदेशी शब्दों को हिन्दी भाषा के स्वभाव (ध्वनिगत तथा व्याकरणगत) के अनुकूल ढालकर अपनाया जाता है। यह प्रक्रिया दो तरह से सम्पन्न होती है—ध्वन्यानुकूलन तथा शब्दानुकूलन के द्वारा। जैस— एंजिन-इंजन, इण्टरिम-अन्तरिम, ट्रिगॉन-त्रिकोण, टेक्नीक-तकनीक, एपीलेट-अपीलीय, फैण्टेसी-फन्तासी, वोल्टेज-वोल्टता, बस स्टैंड-बस अड्डा, रेपोर्टेज-रिपोर्ताज आदि। अनुकूलन में दो भाषाओं का मिश्रण होता है। अतः ऐसे शब्द को संकर शब्द भी कहा जाता है। अनुकूलन की प्रक्रिया हर भाषा में देखने को मिलती है। अंग्रेजी की सम्पन्नता के पीछे इस प्रक्रिया की बहुत बड़ी भूमिका है।

सृजन—वैज्ञानिक एवं तकनीकी शब्द बहुलांश में ऐसे हैं, जिनके समुचित पर्याय हिन्दी या इतर भारतीय भाषाओं में नहीं मिलते। ऐसे शब्दों को लिप्यन्तरित कर हिन्दी में समाहित करना हिन्दी भाषा की स्वाभाविकता के विरुद्ध है। फिर ये शब्द किसी न किसी संकल्पना से भी जुड़े हैं। ऐसे शब्द प्रायः दो तरह के होते हैं—पारिभाषिक कार्य के संकेत और पारिभाषिक क्रिया के प्रतीक। अर्थात् कार्यबोधक और क्रिया बोधक। इसलिए ऐसे शब्दों को लेकर मुश्किल यह आती है कि इन्हें ज्यों-का-त्यों ग्रहण भी नहीं किया जा सकता और न इनका उचित पर्याय ही सुलभ होता है। अन्ततः ऐसे शब्दों के लिए समानान्तर शब्द सृजन करना पड़ता है। विकसित से विकसित भाषा तक में ऐसा होता है। हिन्दी में भी।

शब्द सृजन में भाषा की मूल धातु पाथेय बनती है, क्योंकि धातु में अर्थ का बीज निहित होता है। हिन्दी शब्द सृजन में संस्कृत की धातु काम आती है। संस्कृत धातु में यथावश्यकता उपसर्ग और प्रत्यय लगाकर नये शब्द निर्मित किये जाते हैं। शब्द सृजन मौलिक चिन्तन, सतत् अभ्यास और विषय-विशेषज्ञों के विमर्श का परिणाम होता है। सृजित शब्द शुरू-शुरू में दुरूह लगते हैं, किन्तु आगे चलकर व्यवहार और अभ्यास से बोधगम्य और प्रचलित हो जाते हैं। जैसे - क्रिया से प्रक्रिया, संक्रिया, अनुक्रिया, प्रतिक्रिया, अभिक्रिया आदि।

हिन्दी में सृजन किये गये पारिभाषिक शब्दों को लेकर प्रायः यह इल्जाम लगाया जाता है कि वे सरल नहीं, बल्कि दुरूह हैं और समझ में नहीं आते। इस सम्बन्ध में वास्तविकता कुछ और है। असल में संकल्पना से जुड़े शब्द दो तरह के होते हैं - पारदर्शी और अपारदर्शी। पारदर्शी शब्द वे होते हैं, जिनका अर्थ आसानी से समझ आ जाये। जिन शब्दों का अर्थबोध सीधे तौर पर नहीं, बल्कि परिभाषा के द्वारा हो, उन्हें अपारदर्शी शब्द कहा जाता है। अंग्रेजी के बहुत सारे पारिभाषिक शब्द ग्रीक तथा लैटिन मूल से बने होने के कारण सामान्यतया समझ में नहीं आते। फिर भी विषय-विशेषज्ञ उन्हीं शब्दों का व्यवहार करते हैं, जबकि ऐसे शब्दों के लिए हिन्दी में जो पर्याय सृजित और निर्धारित हैं, वे अपेक्षाकृत सरल और पारदर्शी हैं। जैसे—

Ophthalmology	-	नेत्र विज्ञान
Seismology	-	भूकम्प विज्ञान
Pomology	-	फलकृषि विज्ञान
Petrology	-	शैल विज्ञान
Orology	-	पर्वत विज्ञान
Pedology	-	मृदा विज्ञान
Radiology	-	विकिरण विज्ञान
Mycology	-	कवक विज्ञान
Cytology	-	कोशिका विज्ञान

अंग्रेजी के कतिपय संकल्पनात्मक शब्द अपनी प्रकृति और संरचना में काफी जटिल हैं। उन्हें समझने के लिए उनकी परिभाषा का ज्ञान जरूरी होता है। परन्तु वैसे शब्दों के जो हिन्दी पर्याय बनाये गये हैं, वे काफी सरल तथा प्रचलित शब्दों से बने हैं। उदाहरण के लिए-

Hard water	-	कठोर जल
Soft water	-	मृदु जल
Salt water	-	खारा जल
Heavy water	-	भारी जल
Fertiliser	-	उर्वरक
Bio Fertiliser	-	जैव उर्वरक

आज का युग विज्ञान का है। विज्ञान की भाषा में संकल्पनाओं की भरमार होती है। वैज्ञानिक संकल्पनाओं के भीतर भी संकल्पनाएँ निहित होती हैं। यानी संकल्पना के अंदर संकल्पना। जो वैज्ञानिक इन संकल्पनाओं की खोज करता है अथवा अपने अनुसन्धानों से संकल्पना रचता है, वह अपनी भाषा में इनके लिए शब्द देता है। वे शब्द चाहे सुबोध हों या दुर्बोध, विशेषज्ञ उन्हें समझ लेते हैं। जैसे—अणु, परमाणु, इलेक्ट्रॉन, प्रोटॉन, न्यूट्रॉन। विज्ञान में ऐसे संकल्पना बोधी शब्द भी ढेर सारे होते हैं, जिनके बीच सूक्ष्म अर्थ भेद होता है। किसी भी भाषा को विकसित बनाने के लिए यह जरूरी है कि उसमें ऐसे संकल्पनात्मक शब्दों के लिए पर्याय निश्चित और निर्धारित हों। वैसे प्रत्येक संकल्पना के लिए सरल शब्द का चयन अथवा सृजन सम्भव नहीं होता। फिर भी हिन्दी में ऐसे वैज्ञानिक तथा तकनीकी शब्द निर्मित किये गये हैं, जो अपेक्षाकृत बोधगम्य और सरल हैं। जैसे-

(i) Protection - रक्षण
Reservation - आरक्षण
Conservation - संरक्षण
Preservation - परिरक्षण
Immunity - प्रतिरक्षा
Immunization - प्रतिरक्षण
Maintenance - अनुरक्षण

(ii) Poison - विष
Toxic - आविष
Venom - जीविष

(iii) Growth - वृद्धि, वर्द्धन
Boost - अभिवर्द्धन
Amplification - प्रवर्द्धन
Enlargement - विवर्द्धन
Enhancement - संवृद्धि, संवर्द्धन
Magnification - आवर्द्धन

अनुवाद : भूमण्डलीकरण और सूचना क्रान्ति के बाद की दुनिया में टेक्नोलॉजी और बाजार दो बड़ी वास्तविकताएँ बनकर उभरे हैं। वैज्ञानिक प्रगति और राजनीतिक सक्रियता इन वास्तविकताओं के मूल में हैं। फलतः पिछले कुछ वर्षों में नूतन वैज्ञानिक संकल्पनाओं के साथ-साथ राजनीतिक तथा आर्थिक सक्रियता को ध्वनित करने वाली अधुनातन संकल्पनाओं की भी भरमार हुई है। इन आधुनिक संकल्पनाओं की अभिव्यक्ति जिस शैली और शब्दावली में हो रही है, उसके मद्देनजर अनुवाद की भूमिका महत्त्वपूर्ण हो गयी है। वैसे, इस बीच अनुवाद भी काफी डायनेमिक हुआ है। अनुवाद अब पहले जैसा शब्द, भाव और शैली की सीमा में बँधा भाषान्तरण मात्र नहीं रहा। नये विश्वग्राम में वह भाषा से भाषा का और सम्पूर्ण प्रोक्ति (Discourse) का मुकम्मल संवाद बन रहा है। विभिन्न ज्ञानानुशासनों के बीच संवाद का पुख्ता सेतु बन रहा है। इस क्रम में अनुवाद के रचाव, कसाव और तौर-तरीके भी बदल रहे हैं। अनुवाद कहीं संकल्पनाओं का, कहीं शब्दों का, कहीं भावों का और कहीं-कहीं शब्द समूहों का रूपान्तरण बन रहा है तो कभी-कभी शब्द और पर्याय का मिश्रण और लिप्यन्तरण बन चरितार्थ हो रहा है। जैसे—

Cold war	-	शीत युद्ध
Acid rain	-	अम्ल वर्षा
Out Put	-	परिणाम, उपलब्धि
White Paper	-	श्वेत पत्र
Global village	-	विश्वग्राम
Time Management	-	समय-प्रबन्धन
Nuclear Prolifiration	-	परमाणु अप्रसार
State-of-art	-	नवीनतम, अधुनातन
Cutting age level	-	अत्याधुनिक (तकनीक)
Share Market	-	शेयर बाजार
Woman Empowement	-	महिला सशक्तीकरण
Canteen Manager	-	कैण्टीन प्रबन्धक
Stock Holder	-	स्टॉक धारक
Censor Board	-	सेन्सर बोर्ड

पारिभाषिक शब्द वस्तुतः प्रयोजनमूलक होते हैं और इनके प्रयोजन सुनिश्चित होते हैं। मसलन वैज्ञानिक और तकनीकी संकल्पनाओं को भाषिक अभिव्यक्ति देने का प्रयोजन। साथ ही विचार और भाषा में एकरूपता का प्रयोजन ताकि संकल्पना को समझने और उसे सम्प्रेषित करने में कोई खाईं न रहे और प्रगति और विकास में भाषा बाधक न बने। साथ-ही-साथ सूचना और ज्ञान के प्रसार का प्रयोजन ताकि भाषा विशेष में सभी स्तरों में एकरूपता बनी रहे। इस प्रकार से हर समृद्ध भाषा में पारिभाषिक शब्दों का विपुल भण्डार होता है। इनमें काफी शब्द बेहद सरल होते हैं तो काफी दुरूह भी। पारिभाषिक शब्दों की दुरूहता उनके सृजन अथवा अनुवाद के कारण नहीं वरन् उनसे अपरिचय के कारण होती है। असल में शब्द परिचित अथवा अपरिचित होते हैं, न कि सरल या कठिन। प्रचलन में आने के बाद कठिन शब्द भी सरल लगने लगते हैं। जैसे—

पर्यावरण	-	Environment
प्रदूषण	-	Pollution
पारिस्थितिकी	-	Ecology
कुटीर उद्योग	-	Cottage Industry
स्वत्वाधिकार	-	Copy right
महामारी	-	Epidemic
असहिष्णुता	-	Intolerance

यद्यपि हमारी परम्परा में शब्द को ब्रह्म कहा गया है और प्रसंग के साथ-साथ प्रयोक्ता के प्रयोग-कौशल के अनुसार शब्द के अर्थ बदलते रहते हैं, तथापि शब्द, अर्थ और अभिप्राय के संकेत मात्र ही होते हैं। उनसे सभी संकल्पनाओं के अर्थ एवं अभिप्राय की अभिव्यक्ति की उम्मीद करना ज्यादती है। अर्थ तो परिभाषा से स्पष्ट होता है। पारिभाषिक शब्दों के मामले में तो खास तौर पर।

अतः पारिभाषिक शब्दों के अनुवाद की समस्या पारिभाषिक शब्दों की प्रकृति तथा संकल्पना को नजरअंदाज करने और उनके बलात् अनुवाद के लिए आग्रहशील होने की समस्या भी है। इससे अनुवाद का कार्य कठिन तो होता ही है, जटिल और दुरूह होने से भी बच नहीं पाता। वैसे भी अंग्रेजों

के जाने के 70 वर्षों बाद भी जो समाज मानसिक तौर पर अंग्रेजियत से पूरी तरह मुक्त नहीं हो पाया हो और भूमण्डलीकरण के बाद जहाँ उल्टे अंग्रेजी को मुक्ति का माध्यम समझा जाने लगा हो, फलतः नगरों, कस्बों, गाँवों तक में पब्लिक स्कूलों की बाढ़ आ गयी हो और "अंग्रेजी स्कूलों में दाखिले की होड़ लगी हुई हो"[3], वहाँ वैज्ञानिक और तकनीकी शब्दावली के अनुवाद का समस्याग्रत होना आश्चर्यजनक नहीं है। ऐसे समाज में विज्ञान को लोक जीवन से जोड़ने की बड़ी जरूरत है। भारत के सच्चे वैज्ञानिक विकास के लिए और हमारे वैज्ञानिकों के सही सम्मान के लिए भी यह बेहद जरूरी है। तभी 'जय जवान, जय किसान' के साथ 'जय विज्ञान' चरितार्थ हो पायेगा। तब तक चरैवेति, चरैवेति।

सन्दर्भ–संकेत

1. प्रो. सूरजभान सिंह, तकनीकी शब्दावली की विकास-यात्रा शीर्षक लेख, अनुवाद का सामयिक परिप्रेक्ष्य नामक स्मारिका, दक्षिण भारत हिन्दी प्रचार सभा, हैदराबाद, पृष्ठ 36
2. स्टीफन अल्मन, वड्र्स एण्ड इट्स यूसेज, पृष्ठ 57.
3. द टाइम्स ऑफ इण्डिया, बेंगलूर संस्करण, 19 मई, 2008 को अखबार के प्रथम पृष्ठ पर छपी दूसरी लीड खबर, शीर्षक : English School enrolment up 74% in 3 yrs.

   .... More Indians are opting to educate their children in English medium schools. What may come as a surprise is the pace at which this is happening. Nation wide enrolment in the upper Primary Section (class I to VIII) of English medium schools rose 74% between 2003 and 2006. In actual Figures, that is a rise from 54.7 Lakh in 2003 to 95.1 Lakh students in 2006.

अनुवाद : कुछ स्फुट विचार

अनुवाद रचना की पुनर्रचना मात्र नहीं है। अनुवाद को अपने आप में परिपूर्ण और अनूठा अनुरचना होना चाहिए। अनुवाद भाषान्तरण के ब्याज से मूल रचना का परवर्ती जीवन है। अनुवाद संस्कृति का सृजन-संवाद है। अनुवाद लक्ष्य भाषा में मूल पाठ का पुनराविष्कार है। अनुवाद रचना का अनश्वर उद्यम है।

अनुवाद की सफलता मूल के समान और असरदार भाषिक पाठ सृजित करने में है। इस काम में भावानुभूति और तद्नुरूप अभिव्यक्ति की खासी भूमिका होती है। सफल अनुवाद में मूलनिष्ठता तथा तथ्यपरक-अनुकूलन का मणिकांचन अनुपात होता है।

भाषान्तरण को लक्ष्यभाषा के स्वभाव में ढालकर ही प्रभावकारी बनाया जा सकता है। सृजन में भावानुभूति और भावाभिव्यक्ति के बीच तलवार और ढ़ाल जैसी कोई दोस्ती नहीं होती है। इसमें 'कहियत भिन्न-न-भिन्न' की स्थिति रहती है। अनुवाद इन शर्तों पर खरा उतर कर ही अनुसृजन बनता है।

सर्जनात्मक रचनाओं के अनुवाद में अनुवादक को अतिरिक्त कल्पनाशीलता और सावधानी से काम करना पड़ता है। ऐसे काम में अनुवादक को मूल कृति के भावों को लक्ष्यभाषा की प्रकृति में ढ़ालने में अतिरिक्त संवेदनशीलता की भी जरूरत पड़ती है। साहित्यिक कृति का अनुवाद कोई वस्तुनिष्ठ कर्म नहीं, बल्कि भावनिष्ठता से भरा गम्भीर कर्म है। कहने की आवश्यकता नहीं कि भावुकता की बुनियाद संवेदनशीलता होती है। संवेदनशीलता और भावुकता के बिना साहित्य के अनुवाद में मूल के साथ न्याय नहीं हो सकता।

अनुवाद सर्जनात्मक साहित्य का हो या तकनीकी पाठ का, काम यह भाषा में होता है। एक भाषा से दूसरी भाषा में। पाठ चाहे जिस किसी विधा के हों,

भाषा एक ही रहती है और उसी भाषा में हर तरह के पाठ के अनुवाद होते हैं। इस सिलसिले में मार्के की बात यह है कि किन्हीं दो भाषाओं के रिश्ते उतने सहज नहीं होते, जितने प्रतीत होते हैं। भाषा के मिजाज, व्याकरणिक विधान, प्रयुक्तियाँ, मुहावरे, विन्यास के तरीके आदि विशेष और विरल होते हैं। इन मामलों में भारतीय भाषाओं और विदेशी भाषाओं के बीच काफी अंतर होता है। अनुवादक को अनुवाद करते हुए इन अन्तरों को पाटना पड़ता है।

सर्जनात्मक साहित्य में विचार, संवेदना, भाव और सांस्कृतिक छवियों का समवेत् वाहक भाषा होती है। ये सभी तत्त्व भाषा के शिल्प में अन्तर्भुक्त रहते हैं। अतः भाषा गौण होती है ; मुख्य होता है भाव। स्वाभाविक है कि सर्जनात्मक साहित्य का जब अनुवाद किया जाता है तो फोकस भाषा पर न होकर, भाषा में साकार हो रहे भाव-संसार पर होता है। भाव-संसार में ध्वनि, शब्द, विचार, भाव और जीवन एवं उसके मूल्यों को साकार करने वाली संस्कृति की छटा और महत्ता काफी प्रभावकारी होती है। ऐसे में सर्जनात्मक साहित्य के अनुवाद में सांस्कृतिक तत्त्वों का अन्तरण समानार्थक भावाभिव्यक्तियों के माध्यम से होना चाहिए।

2

हर भाषा का अपना समाज होता है। उसकी अपनी संस्कृति होती है। ऐसे में किन्हीं दो संस्कृतियों का मिलान, उनके बीच आपसी आदान-प्रदान तो सम्भव है, किन्तु दो संस्कृतियों और उनकी अभिव्यक्तियों का एक-दूसरे से अन्तरण सम्भव नहीं। कारण कि संस्कृतियों के बीच एक-दूसरे के शब्दों और भावाभिव्यक्तियों में पर्याय जैसी कोई बात नहीं होती। संस्कृति स्वायत्त होती है। सांस्कृतिक तत्त्वों के अन्तरण की प्रक्रिया पारस्परिक मिलन और समानता के माध्यम से ही सम्पन्न की जा सकती है।

अतः अनुवाद में सांस्कृतिक तत्त्वों के अन्तरण की प्रक्रिया कोई रूढ़ प्रक्रिया नहीं, बल्कि सम्पूरक, समवर्ती, समानार्थी, समानधर्मी, समेकित और समरस स्थानापन्न की प्रक्रिया होनी चाहिए।

3

भूमण्डलीकरण के दौर में अनुवाद अब विश्वव्यापी जरूरत बन गया है। पिछड़े और विकासशील देशों के लिए तो ऐसी जरूरत कि इसके बिना काम ही न चले।

वैसे पिछड़े समाज में भी अनुवाद होते हैं। पिछड़े समाज में अनुवाद के काम करने वाले अपनी अभिरुचि और माँग के अनुरूप अनुवाद करते हैं। किन्तु ऐसे अनुवादकर्त्ताओं का प्रशिक्षण बड़ा जरूरी होता है। प्रशिक्षण स्वयं में एक विकसित व्यवस्था का अनिवार्य और नियमित तौर-तरीका है। प्रशिक्षण में कौशल को निखारने और सुघड़ उत्पाद निर्मित करने का उद्देश्य अन्तर्निहित होता है। किसी उत्पाद का सुन्दर और सुघड़ रूप भला किसे अच्छा नहीं लगेगा। मतलब साफ है कि अनुवाद में प्रशिक्षण की आवश्यकता अत्यन्त कारगर तथा महत्त्वपूर्ण होती है। अनुवाद-प्रशिक्षण में अनुवाद की समस्याओं का विवेचन करते हुए अनुवाद की प्रक्रिया और तकनीक को समझने और साधने के गुर बताये जाने चाहिए। इसमें अभ्यास के रास्ते से अनुवाद के आदर्श स्वरूप की खोज होनी चाहिए। कहा भी गया है – "करत-करत अभ्यास ते जड़मति होत सुजान।"

पिछड़े समाज, जिसे आत्म-तुष्टि के लिए विकासशील समाज भी कहा जाता है, के तौर-तरीके गजब के होते हैं। हमारे विश्वविद्यालयों में और अन्य सरकारी तथा गैर सरकारी संस्थाओं में अनुवाद के मामले में अंग्रेजी-हिन्दी-अंग्रेजी मात्र का जो चलन है, उसका बड़ा कारण हमारा पिछड़ापन है। औपनिवेशिक मानसिकता से मुक्त नहीं होना आखिरकार मानसिक पिछड़ापन ही तो है। अपने आसपास की भाषा और उसकी रचनात्मक उपलब्धि को न जानना और दूर-देश की भाषा और उसके लेखन को सीखने और समझने के लिए दिन-रात एक करना मानसिक गुलामी ही तो है।

विकास किसी एक इकाई का उन्नत हो जाना भर नहीं होता। विकास हमेशा सामूहिक उत्थान में साकार होता है। हमारा समाज जैसे-जैसे विकसित होगा, हिन्दी के साथ सभी भारतीय भाषाओं की आपसदारी मजबूत होगी। ऐसे में हिन्दी के साथ अन्य भारतीय भाषाओं का मेलजोल और उनके बीच पारस्परिक संवाद और अनुवाद का सिलसिला निरन्तर प्रगाढ़ होता जायेगा। अतः हमारे परिदृश्य की वास्तविकता के लिहाज से अनुवाद का वर्तमान, अनुवाद का भविष्य नहीं है। तथापि हमारी जरूरत के अनुवाद का सिलसिला फौरन शुरू होना चाहिए। भारतीयों के बीच भाईचारे और राष्ट्रवाद को सशक्त करने के लिए भारतीय भाषाओं में परस्पर अनुवाद और संवाद बहुत जरूरी है।

4

चूँकि अनुवाद व्यावहारिक भाषा-कर्म है, अतः अनुवाद संस्थानों के काम-काज का ढंग सांस्थानिक अथवा अकादमिक से ज्यादा व्यावहारिक होना चाहिए। उन्हें अपने कार्य व्यवहार में अन्तरअनुशासन आधारित विमर्श की भी गुजांइश रखनी चाहिए ताकि अनुवाद जैसे व्यावहारिक कार्य की संस्था रूढ़ियों में नहीं फँस पाये और विमर्श तथा अन्तरअनुशासनिक ज्ञान एवं अनुभव से अपनी जड़ता का निवारण खुद करे और जरूरत के अनुरूप पुनर्नवा बनी रहे।

अनुवाद-प्रशिक्षण का बेहतर पाठ्यक्रम अन्तरभाषाई तत्त्वों के तुलनात्मक अध्ययन और विश्लेषण को आधार बनाकर ही निर्मित किया जा सकता है। अनुवाद-प्रशिक्षण के पाठ्यक्रम में अनुवाद के तात्त्विक एवं शास्त्रीय विवेचन का पक्ष तो महत्त्वपूर्ण है ही, अनुवाद की प्रक्रिया और अनुवाद की समस्याओं का अध्ययन भी अपने आप में महत्त्वपूर्ण है। तथापि आज अनुवाद विधा को उत्तर आधुनिक अवधारणाओं के परिप्रेक्ष्य में विवेचित करना और समझना भी बहुत जरूरी हो गया है। साथ ही अनुवाद के सर्जनात्मक सरोकारों की गवेषणा भी होनी चाहिए।

कार्यालयों, संगठनों और संस्थानों के दस्तावेजों के अनुवाद और वैज्ञानिक तथा तकनीकी साहित्य के अनुवाद की आज बहुत जरूरत है, क्योंकि अलग-अलग संस्थाओं, कार्यालयों में तकनीकी साहित्य का विपुल भंडार अभी भी अनुवाद की राह देख रहा है। साथ ही प्रत्येक भाषा-भाषी समुदाय का यह नैसर्गिक अधिकार है कि वह विज्ञान और प्रौद्योगिक के विभिन्न अनुशासनों के महत्त्वपूर्ण और ज्ञानवर्द्धक साहित्य को पढ़े और जाने। मशीनी अनुवाद की प्रयोजनीयता ऐसे में काफी बढ़ जाती है। अभिधा प्रधान साहित्य और पाठ सामग्री के अनुवाद में मशीन साधित अनुवाद की भूमिका तथा जरूरत असन्दिग्ध है और इसे समर्थन तथा प्रोत्साहन दिये जाने की जरूरत है।

5

भारत में अनुवादक को दोयम दर्जे का माना जाता है तो इसलिए कि इसके पीछे भारतीय सामन्ती समाज का सामन्ती सोच काम करता है। तमाम चमक-दमक के बावजूद भारत का समाज अभी भी पूँजीवादी समाज जैसा उन्नत सोच नहीं बना पाया है। इसमें समय लगेगा। भारतीय समाज को उन्नत प्रौद्योगिकी

और ज्ञान तथा कौशल के सहारे औद्योगिक समाज में बदलते हुए इस प्रकार के सोच से मुक्त किया जा सकता है।

धन और लिप्सा पूँजीवादी समाज की अनिवार्य सच्चाई है। पूँजीवादी व्यवस्था में उपभोक्तावादी समाज का निर्माण किसी बाहरी दबाव में नहीं होता, बल्कि पूँजी और उसके घटक तत्त्वों की आन्तरिक जरूरत के चलते होता है। इसमें मशीन आधारित उत्पादन की गतिकी विश्वव्यापी माया वाली होती है। स्वाभाविक है कि ऐसे समाज में हर काम को आनन-फानन में निपटाने की जल्दी रहती है। जहाँ आनन-फानन का भाव होगा, वहाँ स्वान्तः-सुखाय नहीं होगा। हमारे आज के उपभोक्तावादी समाज में भूमण्डलीकरण और सूचनाक्रान्ति ने जानकारी का जो अपार संसार निर्मित किया है, उसमें अनुवाद की भूमिका निश्चय ही व्यापक और महत्त्वपूर्ण हो गयी है। इस सबके चलते अनुवाद धनार्जन का जरिया भी बन गया है। किन्तु इस जरिया में त्वरा और तात्कालिकता का ऐसा घालमेल किया गया है कि अनुवाद अब स्वान्तः-सुखाय नहीं रह गया है। फलस्वरूप आज का पेशेवर अनुवाद भाषा संवाद तो है, किन्तु सांस्कृतिक संवाद होने से दूर होता जा रहा है। ऐसे में अनुवाद को भाषान्तरण का वस्तुनिष्ठ कर्म बनाये रखने के साथ-साथ संवाद का संवेदनात्मक कर्म भी बनाये रखने की जरूरत है। इसके लिए अनुवादकर्मियों को सजग और सतर्क रहने की जरूरत है, क्योंकि अनुवाद अन्ततः भाषा कर्म है और भाषा समाज की होती है; जिसकी अपनी सम्पन्न संस्कृति भी होती है। अनुवादक में यदि यह बोध बना रहे कि अनुवाद कर्म मूलतः संस्कृति-कर्म है तो तमाम आपाधापी के बावजूद उसकी शुचिता और स्तरीयता अभिरक्षित रहेगी।

6

भारत में उत्तर और दक्षिण का भाषा समाज आर्यभाषा परिवार और द्रविड़ भाषा परिवार में बँटा हुआ दो भिन्न भाषा-भाषी समाज है। यह ठीक है कि दक्षिण भारत में भी उर्दू बोलनेवाला समुदाय यत्र-तत्र है, किन्तु उस समुदाय की बोली-वाणी में उर्दू से ज्यादा वहाँ की क्षेत्रीय भाषाएँ प्रभाव रखती हैं। कहना न होगा कि तमिल, तेलुगु, कन्नड़ और मलयालम जैसी भाषाओं में तत्सम के शब्द मूल रूप में और किंचित् ध्वनि परिवर्तन के साथ काफी मिलते हैं। परन्तु उत्तर भारत की बोली-वाणी वाली हिन्दी में तत्सम के बदले उर्दू का पुट

ज्यादा है। स्वभावतया उत्तर भारत में प्रचलित हिन्दी का उर्दू मिश्रित रूप सहज और बोधगम्य है ; जबकि दक्षिण भारत में हिन्दी का तत्सम मिश्रित रूप प्रचलन में है। ऐसे में सरल हिन्दी का प्रश्न उत्तर और दक्षिण भारत के नजरिये से थोड़ा दिलचस्प हो जाता है। लेकिन इस मसले का हल मुश्किल नहीं है। हिन्दी का जैसे-जैसे प्रचलन और प्रसार बढ़ेगा, जो कि बढ़ रहा है ; हिन्दी का राष्ट्रीय स्वरूप और अभिव्यक्ति का रूप विकसित होता जायेगा। भारत जैसे विशाल और लोकतान्त्रिक देश में हिन्दी भाषा की राष्ट्रीय शैली विकसित होने में थोड़ा समय लगना स्वाभाविक है। भारतीय परिप्रेक्ष्य में हिन्दी का समझ में आनेवाला मिला-जुला भाषा रूप ही चलेगा और इसे ही हिन्दी में अनुवाद की आदर्श शैली समझना चाहिए।

7

21 वीं सदी के जीवन और जगत में भूमण्डलीकरण और सूचना क्रान्ति जैसी प्रवृत्तियों का उद्‌भव हुआ है, जिसकी असरदार भूमिका से आज हर कोई प्रभावित है। स्वाभाविक है कि दुनिया आज सिमट कर छोटी हो गयी है और सात समन्दर पार की घटनाएँ आज का आदमी मिनटों में देख, जान लेता है। किन्तु दुनिया की भाषाई विविधता सूचना के आदान-प्रदान में आड़े आती है। यह वास्तविकता है। इससे निपटने में अनुवाद सहायक होता है। यही कारण है कि आज के सूचना-समाज में अनुवाद की भूमिका महत्त्वपूर्ण और व्यापक हो गयी है। इसलिए समाजशास्त्रीय दृष्टि से 21 वीं सदी को अनुवाद की सदी कहना गलत नहीं होगा।

अनुवाद की सदी में अनुवाद का महत्त्व स्वीकार करते हुए भारत सरकार ने 'राष्ट्रीय अनुवाद मिशन' की स्थापना की है। यह सर्वथा उचित कदम है। 'राष्ट्रीय अनुवाद मिशन' 'भारतीय भाषा संस्थान', मैसूर के अन्तर्गत काम कर रही है। फिलहाल मिशन अपनी कार्यनीति के तहत अनुवाद गोष्ठियाँ करती है। कुछ विषयों के ज्ञान साहित्य के अनुवाद की परियोजना भी राष्ट्रीय अनुवाद मिशन में शुरू हुई है।

8

अनुवाद के व्यावहारिक पक्ष को सशक्त बनाने में अनुवाद सम्बन्धी पत्रिकाओं की वैसी ही भूमिका होती है, जैसी शरीर में रक्त और मज्जा के लिए आहार की। भूलना नहीं चाहिए कि अनुवाद कुल मिलाकर एक व्यवहार-शास्त्र

है। अनुवाद की पत्र-पत्रिकाएँ इस व्यवहार-शास्त्र को कलात्मक बनाने में, अनुवादक के ज्ञान और कौशल को निखारने में तथा स्वयं अनुवाद का शास्त्र निरूपित करने में बेमिसाल भूमिका निबाह सकती हैं।

अनुवाद सम्बन्धी पत्रिकाओं में, मेरे विचार से, नामचीन और अनुभवी अनुवादकर्त्ताओं तथा अनुवादवेत्ताओं के साक्षात्कार छापने की परिपाटी शुरू होनी चाहिए। साक्षात्कार में कुछ ऐसे दुर्लभ अनुभव निकल कर सामने आते हैं, जो किसी विषय के भाव या विचार और उसकी समस्याओं से दो-चार होते व्यक्ति की स्वानुभूति के निष्कर्ष होते हैं। जीवनानुभव के ऐसे निष्कर्ष आमतौर पर किसी विषय के प्रतिपादन अथवा लेखन में रूपायित नहीं होते। साक्षात्कार बड़े काम के होते हैं, विशेषकर युवा पीढ़ी के लिए।

9

अनुवाद दोयम दर्जे का नहीं अपितु गहरे विवेक का रचनात्मक कर्म है। अतः नवागन्तुकों को काफी धैर्य और स्वाध्याय के साथ इस क्षेत्र में कदम रखने चाहिए। बहरहाल अनुवाद के सम्बन्ध में सूत्र-रूप में निम्नलिखित विचार गौरतलब हैं—

- अनुवाद रचना का अनश्वर उद्यम है।
- अनुवाद अपनी मूलवत्ता और समग्रता में सभ्यता संवाद है।
- अनुवाद भाषिक संघर्ष का प्रतिवाद तथा भाषिक समन्वय का माध्यम है।
- अनुवाद सृजन की शर्त पर ही किसी रचना की पुनर्रचना है।
- अनुवाद सृजन का अनुसृजन बनकर सिद्ध होता है।
- अनुवाद का इतिहास जितना प्राचीन है, अनुवाद की अवधारणा उतना ही अर्वाचीन।
- अनुवाद अपने स्वरूप और परिप्रेक्ष्य में एक आधुनिक अवधारणा है। एक ऐसी अवधारणा, जो अभिप्राय के मामले में आधुनिक है तो संरचना के स्तर पर पारम्परिक।

नवाचार की भाषा और अनुवाद

टेक्नोलॉजी के रथ पर सवार भूमण्डलीकरण का यह दौर सूचनाविस्फोट और बाजार का है। तकनीक के क्षेत्र में आए दिन जो आविष्कार हो रहे हैं, उससे मनुष्य की क्षमता के आगे बहुत बड़ी चुनौती खड़ी हो गयी है। आज के दौर में टेक्नोलॉजी एक तरह से दोधारी तलवार बन गयी है। वह हमारे लिये विकास की राह पर तेजी से आगे बढ़ने के नये-नये दरवाजे खोल रही है, तो अपने विराट प्रभाव से हमें हमारी औकात बताकर हतप्रभ भी कर रही है। मतलब साफ है कि मनुष्य की बुद्धि और प्रतिभा से उत्पन्न एवं विकसित टेक्नोलॉजी आज इतनी विपुल और विराट् हो गयी है कि मनुष्य की क्षमता के आगे चुनौती खड़ी कर रही है। टेक्नोलॉजी के इस विपुल-विराट् रूप और व्यापक चुनौती का सामना करने के लिए मनुष्य को निरन्तर नये-नये रास्ते तलाशने पड़ रहे हैं।

इसबीच भूमण्डलीकरण से पैदा हुई नयी बाजार व्यवस्था में चकमक विज्ञापनों की चकाचौंध आदमी को उसके घर में घुसकर दयनीय बना रही है। व्यापारिक प्रतिस्पर्द्धा और कॉरपोरेट पूँजी कमजोर और पिछड़े समाज को और कमजोर करती जा रही है। उपभोक्तावादी लहर में मुनाफे की भूख जिस तरह से बढ़ती जा रही है, यदि इसे रोका नहीं गया तो अकूत क्षमता और अपार सम्भावनाओं वाला हमारा समाज 'मैनपॉवर' और 'कंज्यूमर' मात्र बनकर रह जायेगा।

ज़ाहिर है कि आज के प्रतिस्पर्द्धी जमाने में प्रगति और विकास के लिए दुनिया के देशों में जो होड़ मची है, उसमें टेक्नोलॉजी के साथ-साथ भाषा की भी बड़ी भूमिका है। सम्पन्न देश अनुसन्धान और विकास के काम में अरबों रुपये खर्च कर जो मशीन और माल तैयार कर रहे हैं, उसका प्रविधि-

साहित्य और सूत्र उन्हीं सम्पन्न देशों की भाषा में रचे जाते हैं। भारत जैसे विकासशील देश, अपवादों को छोड़ दें तो अनुकरण ही कर रहे हैं। स्वाभाविक है कि हमारे अनुकरण की भाषा भी उधार की भाषा बन रही है। इससे हमारा मौलिक चिन्तन, उद्भावना और नवाचार बेहिसाब रूप से बाधित हो रहे हैं। यह प्रवृत्ति भारत जैसे विकासशील देश एवं समाज के लिए घातक है।

आज के जमाने में प्रगति और विकास की कुंजी आविष्कार और नवाचार हैं। किन्तु भारत में आविष्कार और नवाचार की भाषा हमारी अपनी भाषा नहीं है। अंग्रेजी है। हमारे प्रगति और विकास को पहला आघात यही झेलना पड़ता है। पराई भाषा के चलते हमारी उद्भावना और नवाचार परिणाम में नहीं ढल पाते। उद्भावना और नवाचार हमेशा अपनी भाषा में अंकुरित होते हैं। पराई भाषा तो आदमी को कुंठित और पिछलग्गू बनाती है।

ऐसे में सवाल है कि भारत में विज्ञान और तकनीक की भाषा क्या हो ? अब तक हमारा वैज्ञानिक तथा तकनीकी अनुसन्धान और विकास जिस अंग्रेजी भाषा के माध्यम से चलता चला आ रहा है, उसे ही कायम रखा जाये अथवा उसे अपनी भाषा में लिखने-पढ़ने और सोचने का सिलसिला शुरू किया जाये ? परम्परा को बनाये रखना हमें यथास्थितिवादी बनायेगा। यह खतरनाक होगा। किन्तु कहा जा सकता है कि भारत की अर्थव्यवस्था और विज्ञान तथा तकनीक के क्षेत्र में अनुसन्धान और विकास तो हो ही रहे हैं। अंग्रेजी जैसी समर्थ भाषा को रखने में क्या हर्ज है ? यदि यह यथास्थितिवाद है तो इस यथास्थितिवाद से हमारी माली हालत धीरे-धीरे ही सही, सुधर तो रही ही है। सुधार का यह सिलसिला कायम रहा तो एक दिन हम उन्नत बन जायेंगे।

परन्तु इस यथास्थितिवाद का जो दूसरा पहलू है, वह बड़ा भयानक और खतरनाक है। इस रास्ते भारत में अमीरी और गरीबी की खाई दिन-पर-दिन गहरी होती जा रही है। अमीर और अमीर बनते जा रहे हैं तो गरीब और गरीब। इस यथास्थितिवाद ने हमारे समाज में भ्रष्टाचार को एक स्वीकृत मूल्य बना दिया है। असमानता से पैदा हो रही स्थिति भारतीय समाज को गृहयुद्ध की ओर ले जा सकती है। इसलिए यह यथास्थितिवाद भयानक और खतरनाक है।

दूसरा रास्ता विज्ञान और तकनीक को अपनी भाषा में साध कर अपने नवाचारी अवदान से प्रगति और विकास की गति को तेज करने का है। इसमें हमारी प्रतिभा का शत-प्रतिशत उपयोग सुनिश्चित है। इस रास्ते हम अपने संसाधनों और क्षमता का समुचित उपयोग कर समृद्धि ला सकते हैं। हम अपनी सामाजिक खाइयों को पाटते हुए तेजी से विकसित समाज बनकर दुनिया के विकसित देशों की जमात में शामिल हो सकते हैं।

जिस औद्योगिक क्रान्ति ने 17वीं शताब्दी के बाद के भारत को पिछड़ा और पिछलग्गू बना दिया और यूरोप तथा अमेरिका को विकसित, उसी औद्योगिक संसाधनों के समुचित और नवाचारी उपयोग से हम अपने समाज को स्वस्थ और विकसित बना सकते हैं। इसके लिए विज्ञान और तकनीक के क्षेत्र में हमें अपनी प्रचुर मानव-शक्ति तथा अदम्य कौशल का उपयोग सुनिश्चित करना होगा। इस उपयोग का तरकीब हमारा अपना होगा, उधार का लिया हुआ हर्गिज़ नहीं। अपना रास्ता अपनी भाषा में तय होगा। वह विज्ञान और तकनीक में पारंगत होने, कौशल अर्जित करने और उसके हरफनमौला खिलाड़ी होने के जरिये प्रशस्त होगा। इन सबके लिए जरूरी है कि हमारी विज्ञान की पढ़ाई, हमारी प्रौद्योगिकी का साहित्य, हमारी संकल्पना तथा अनुसन्धान के पारिभाषिक शब्द आदि हमारी अपनी भाषा में हों। सभी भारतीय भाषाओं में न सही तो कम-से-कम देश की सम्पर्क भाषा हिन्दी में तो निश्चित रूप से हों।

भारत का संविधान अलग-अलग सन्दर्भों में शिक्षा, शासन और प्रबन्धन आदि में भारतीय भाषा और हिन्दी को अपनाने की बात कहता है। परन्तु आजादी के 70 वर्षों बाद भी हम यथास्थितिवाद की मानसिकता से उबर नहीं पाये हैं। हम एक साथ 104 उपग्रहों को अन्तरिक्ष की कक्षाओं में सफलतापूर्वक प्रक्षेपित और स्थापित करनेवाले क्षमतावान् समाज हैं। हम मंगल पर सस्ते में अपना उपग्रह भेजने की योग्यता रखते हैं। हम जटिल-से-जटिल रोगों का विश्व मानक के अनुरूप सस्ते में उपचार करने का कौशल और ज्ञान रखते हैं। हम अपने कौशल और तरकीब से कठिन और दुर्दम्य परिस्थितियों को भी अनुकूल बनाने की हिम्मत और हुनर रखनेवाले समाज हैं। और इन मामलों में हमारा लोहा पूरी दुनिया मानती है।

परन्तु उच्चतर अध्ययन और अनुसन्धान में हम पराई भाषा को अपनानेवाले फिसड्डी समाज भी हैं। हम अन्य मामलों में तो दुनिया के विकसित देशों और समाजों से अपने को जरा भी कमतर नहीं मानते हैं, परन्तु पता नहीं क्यों भाषा का सवाल आते ही हम हथियार डाल देते हैं। पता नहीं क्यों औपनिवेशिक मानसिकता हमारा पीछा नहीं छोड़ती? पता नहीं क्यों अंग्रेज और अंग्रेजी की श्रेष्ठता का बोध हमारे दिलोदिमाग पर हमेशा हावी रहता है ? हमारे चरित्र का यह दोहरापन हमारी सबसे बड़ी समस्या है।

वैसे भाषा के मामले में संवैधानिक प्रावधान को पूरा करने के लिए शासन-प्रशासन में अनुवाद के सहारे हिन्दी में काम हो रहे हैं। वैज्ञानिक पुस्तकों के अनुवाद भी अब कई संस्थानों द्वारा कराये जाने लगे हैं। 'राष्ट्रीय अनुवाद मिशन' और 'अटल बिहारी वाजपेयी हिन्दी विश्वविद्यालय', भोपाल द्वारा इस दिशा में प्रयास किये जा रहे हैं। इस हिन्दी विश्वविद्यालय में इंजीनियरिंग और चिकित्सा की पढ़ाई हिन्दी माध्यम से शुरू करने की तैयारी है। कुछ प्रदेशों के प्रौद्योगिकी संस्थानों में भी कभी-कभार एकाध कक्षाएँ हिन्दी माध्यम से पढ़ा दी जाती हैं। किन्तु इस दिशा में जो सबसे बड़ी मुश्किल है, वह है हिन्दी में मौलिक तकनीकी लेखन का अभाव। हिन्दी में अनुसन्धान की संकल्पना और प्रयोग-प्रविधि के लेखन की कमी। हिन्दी में मौलिक रूप से लिखे गये विज्ञान और तकनीक के ढेर सारे स्तरीय ग्रन्थ देश को चाहिए। नवाचारी और आत्मनिर्भर विकसित समाज बनने के लिए हमें अपनी संकल्पनाएँ तथा अपना खोजी सूत्र और पारिभाषिक शब्द अपनी भाषा में चाहिए। इसके साथ-साथ हमारे शिक्षण संस्थानों और प्रशिक्षण केन्द्रों में भी हमारे कौशल-विकास की बातें हमारी भाषा में बतायी जानी चाहिए।

परन्तु जमीनी सच्चाई दूसरी है। इसका दुष्परिणाम है कि जो वैज्ञानिक, इंजीनियर, डॉक्टर, शासक एवं प्रशासक हिन्दी के अच्छे जानकार होते हैं, वे भी अंग्रेजीमय वातावरण में औपनिवेशिक मानसिकता के शिकार होकर 'रटन्त तोता' बन जाते हैं। फलस्वरूप विकास एवं बदलाव की बातें और हमारे सपने जस-के-तस, धरे-के-धरे रह जाते हैं।

आधुनिक भारत में अनुवाद आजादी से जुड़ा आत्मनिर्भर विकास की जरूरत है। आजादी के तत्काल बाद जब चहुँमुखी विकास की योजनाएँ बनने

लगीं तो प्रशासन, शिक्षा, विधि, वाणिज्य, भारी उद्योग आदि विभिन्न क्षेत्रों में भारतीय भाषाओं, विशेषकर हिन्दी के प्रचलन की जरूरत महसूस हुई। तब पूरा प्रशासनिक ढाँचा अंग्रेजीमय था। ऐसे में हिन्दी में प्रशासन और तकनीक से जुड़ी विशिष्ट पारिभाषिक शब्दावली की बड़े पैमाने पर आवश्यकता थी, जो अनुवाद के सहारे ही निर्मित हो सकती थी। अतः अनुवाद का कार्य व्यापक स्तर पर शुरू हुआ। वैज्ञानिक तथा तकनीकी शब्दावली आयोग की स्थापना हुई और उसने विभिन्न अनुशासनों के लगभग 08 लाख पारिभाषिक हिन्दी शब्द बनाये हैं। किन्तु इससे कोई खास फर्क नहीं पड़ा है।

भारत में विज्ञान और प्रौद्योगिकी की भाषा आज भी अंग्रेजी है, जबकि विज्ञान और प्रौद्योगिकी का साध्य केवल भौतिक विकास नहीं होता। समाज के चहुँमुखी विकास एवं उत्थान के लिए विज्ञान और प्रौद्योगिकी की व्यापक पहुँच भी आवश्यक है। प्रश्न है कि भारतीय समाज और जीवन के विकास तथा उत्थान के लिए विज्ञान और प्रौद्योगिकी आम आदमी तक पहुँचे कैसे ? इस पहुँच की भाषा क्या हो ? असलियत तो यह है कि अंग्रेजी माध्यम होने के कारण भारतीय जनजीवन में विज्ञान और प्रौद्योगिकी की व्यापक पैठ तथा स्वीकार्यता नहीं है। आज के वैज्ञानिक युग में यह स्थिति निश्चय ही चिन्ताजनक है। इस स्थिति को बदलना ही होगा।

भारत को विकसित भारत, समृद्ध भारत और आत्मनिर्भर तथा स्वस्थ भारत बनाने के लिए यह बहुत जरूरी है कि हमारा चिन्तन, आचरण तथा व्यवहार गुणात्मक रूप से बदले। इसके लिए जीवन-दृष्टि अथवा नजरिया में बदलाव लाना होगा। यह एक क्रान्तिकारी अपेक्षा है। नजरिया बदल जाये तो आदमी बदल जाता है। आदमी में विचार और व्यवहार का द्वन्द्व मिट जाता है। ऐसा आदमी कुण्ठामुक्त होता है तथा अपनी जड़ों से जुड़ाव महसूस करता है। ऐसा आदमी अपनी भाषा और संस्कृति का अनुरागी होता है। ऐसे में भारत में विज्ञान और प्रौद्योगिकी की भाषा का सवाल बृहत्तर परिप्रेक्ष्य का सवाल बन जाता है। यह सवाल भारतीय समाज को द्वन्द्वमुक्त और कुण्ठाविहीन बनाने तथा अपनी भाषा और संस्कृति का प्रेमी व अनुरागी बनाने का सवाल भी है।

कहना न होगा कि इन सवालों का जवाब भारतीय समाज को विकसित और समृद्ध बनाकर ही दिया जा सकता है। इस मामले में भी व्यक्ति और

समाज अन्योन्याश्रित होते हैं। दोनों की नियति एक समान होती है। जिस तरह शिक्षित एवं सम्पन्न व्यक्ति कई तरह की वर्जनाओं और कुण्ठाओं से मुक्त होता है, उसी तरह विकसित और सम्पन्न समाज भी अनेकानेक द्वन्द्वों और कुण्ठाओं से मुक्त होता है। ऐसे समाज का अनुकरण दुनिया करती है। ऐसे समाज की कतिपय कमियों और वर्जनाओं को शेष समाज देखकर भी अनदेखा कर देता है। ऐसे समाज में श्रेष्ठता बोध का भाव भरने में दुनिया भी पीछे नहीं रहती, सहायक हो जाती है। अकारण नहीं विकसित समाज की भाषा और संस्कृति पिछड़े समाजों के लिए अनुकरणीय एवं स्पृहणीय बन जाती हैं। ऐसे में भारत को विकसित, समृद्ध और आत्मनिर्भर बनाने के लिए हमें शिक्षित, नवाचारी और विकसित होना होगा। हमें आधुनिक ज्ञान और विज्ञान में अपने को सिद्ध करना होगा। हमें अपने समस्त संसाधनों और जनबल के अनुकूल विकास का अपना मॉडल बनाना होगा और उसे अनथक परिश्रम से साकार करना पड़ेगा। दुनिया के जो देश आज विकास की मंजिल पर विराजमान हैं, वे सब इन्हीं राहों से चलकर वहाँ पहुँचे हैं। इसमें आत्माभिमान और दृढ़ संकल्प की बड़ी भूमिका होती है। और आत्माभिमान आता है अपनी भाषा से। संकल्प की सिद्धि भी अपनी भाषा के माध्यम से ही होती है। इस तरह से समाज के विकास में भाषा की भूमिका प्राथमिक और बेमिसाल होती है। हमें यह सच्चाई समझनी होगी।

पिछली सदी में प्राकृतिक आपदाओं से त्रस्त दुनिया ने पर्यावरण एवं विकास में सन्तुलन बनाये रखना आवश्यक समझा। फलस्वरूप पर्यावरण एवं विकास को लेकर गठित विश्व आयोग ने 1987 में सतत विकास (Sustainable Development) को परिभाषित करते हुए कहा, "विकास ऐसा हो जो मौजूदा जरूरतों को पूरा करे, किन्तु भावी पीढ़ी की जरूरतों को पूरा कर सकने की सम्भावनाओं को धूमिल न करे और जिसमें सामाजिक, आर्थिक और पर्यावरण के लक्ष्यों का सन्तुलन बना रहे।"

आशय स्पष्ट है कि आज की विकसित दुनिया में सभी लोगों का कुछ-न-कुछ हितसाधन होना चाहिए और विकास की प्रक्रिया में सभी की भागीदारी भी होनी चाहिए। इसके लिए सर्वशिक्षा और कार्य-कौशल में उन्नयन जरूरी है। शिक्षा ऐसी हो, जो लोकभावनाओं को उन्नत करे और नवाचार के भावों को प्रोत्साहित करे। निश्चय ही ऐसी शिक्षा मातृभाषा के

माध्यम से ही सुलभ हो सकती है। कार्य-कौशल के उन्नयन में जिस सैद्धान्तिकी और प्रशिक्षण की जरूरत होती है, उसका माध्यम भी स्वभाषा ही हो सकती है। भारत में क्षेत्रीय भाषाओं के विकास तथा हिन्दी के प्रसार के माध्यम से इन दोनों ही महत्त्वपूर्ण लक्ष्यों को पूरा किया जा सकता है। इसलिए कि जब हिन्दी का प्रसार होगा तो इस बात की सम्भावना बढ़ेगी कि दुनिया के हर छठे व्यक्ति को उसकी कल्पना का आकाश और रोजगार मिले। हमारा मतलब साफ है, हम हिन्दी के प्रसार के माध्यम से न केवल भारतीय समाज का, बल्कि दुनिया भर में रह रहे समस्त हिन्दी-ज्ञानी भारत-मित्रों और उनके देशों का भी विकास और उत्थान चाहते हैं। हिन्दी के जरिये हम वर्चस्वमुक्त, परस्पर निर्भर और भरोसेमन्द समाज एवं संसार बनाना चाहते हैं। इसके लिए जरूरी है कि हिन्दी का शब्द-भण्डार समृद्ध हो। हिन्दी में विशिष्ट विषय-क्षेत्रों कि संकल्पनावाची शब्दावलियों की उपलब्धता हो। इसके वास्ते भाषान्तरण, रूपान्तरण, अनुकूलन आदि उपाय अपनाये जाने चाहिए। हिन्दी का व्यापक पैमाने पर तकनीक समर्थित संवर्द्धन होना चाहिए। मानक निर्धारित होना चाहिए। हिन्दी माध्यम से शिक्षण और प्रशिक्षण होने चाहिए। विज्ञान और प्रौद्योगिकी के ग्रन्थ हिन्दी में लिखे जाने चाहिए। अनुसन्धान और विकास के साहित्य लेखन का माध्यम हिन्दी बननी चाहिए। इन उपायों के द्वारा हिन्दी आधुनिक विज्ञान और प्रौद्योगिकी तथा प्रशासन एवं प्रबन्धन की भाषा बनकर हमारे दैनिक कामकाज की गुणवत्ता बढ़ाने में हमारा सक्षम माध्यम बन सकती है।

आज के समय में चारों ओर तुरन्त और तत्काल मंजिल हासिल कर लेने की आपाधापी मची हुई है। इस आपाधापी में सबसे ज्यादा नुकसान भाषाओं को उठाना पड़ रहा है। प्रतिवर्ष 2% विश्व भाषाओं का लोप हो रहा है। प्रतिवर्ष वैज्ञानिक अनुसन्धान के लगभग 2.5 लाख पृष्ठ शोध पत्रिकाओं तथा पुस्तकों के रूप में प्रकाशित हो रहे हैं। ये सारे-के-सारे प्रकाशन अंग्रेजी, जर्मन, फ्रेंच, रूसी, जापानी, चीनी आदि भाषाओं में होते हैं। इनमें हिन्दी सहित भारतीय भाषाएँ कहीं नहीं हैं। इण्टरनेट पर दुनिया की दस प्रमुख भाषाओं में भी हिन्दी नहीं आती है। इस विडम्बना के बावजूद, भारतीय समाज को 21वीं सदी में आधुनिक ज्ञान और विज्ञान के साथ कदमताल करने के लिए यह फौरी तौर पर जरूरी हो गया है कि हिन्दी में

ज्ञान और विज्ञान के साहित्य अनुवादित और प्रकाशित हों। साथ ही हिन्दी में मौलिक वैज्ञानिक तथा तकनीकी साहित्य लिखने का अभियान शुरू हो।

जहाँ तक अनुवाद की बात है, यह भाषिक अगम को सुगम बनाने का क्रान्तिकारी कर्म है। अनुवाद अपनी महत्तर भूमिका में देशों और दूरियों में फैले भाषाई विविधता को पाटकर संवाद का सिलसिला शुरू करता है। आज के सूचना-विस्फोट के दौर में भी यह सभ्यताओं के बीच आपसदारी कायम करने का जरूरी माध्यम है। इन्हीं गुणों के कारण अनुवाद सबके लिए, सभी भाषा-भाषियों के लिए और ज्ञान-विज्ञान के सभी अनुशासनों के लिए जरूरी है। भारत जैसे विकासशील देश में अनुवाद की जरूरत आधुनिक ज्ञान और विज्ञान से परिचित होने तथा तकनीकी विकास की राह को प्रशस्त करने की जरूरत है। हमें दूसरी संस्कृतियों के सर्जनात्मक साहित्य का अनुवाद तो चाहिए ही, हमें ढेर सारे उपयोगी और कार्यविधि साहित्य और वैज्ञानिक शोध-साहित्य का भी त्वरित और तत्काल अनुवाद लगातार चाहिए।

आज की दुनिया में ज्ञान का जिस तरह से स्फोट हो रहा है, उससे भारतीय समाज को परिचित कराने के लिए, उसे ज्ञान जगत् का हिस्सेदार बनाने के लिए यह बहुत जरूरी हो गया है कि अनुवाद को व्यक्ति केन्द्रिक (Man-centric) कर्म से आगे ले जाकर समूह केन्द्रिक (Team-centric) सृजनात्मक उत्पाद में परिणत किया जाये। इसके लिए जरूरी है कि मशीन-ट्रान्सलेशन की संकल्पना को विकसित किया जाये। साथ ही अनुवादक, भाषाविद् और भाषावैज्ञानिकों एवं इस काम में अभिरुचि रखनेवाले वैज्ञानिकों के साथ औद्योगिक घरानों का समूह बनाया जाये। अनुवाद की माँग को देखते हुए बाजार का समर्थन प्राप्त किया जाये। अनुवाद को अनुसृजन के रूप में विकसित किया जाये, जिससे कि मूल लेखन के समस्त विचार और भाव अनूदित पाठ में उद्‌भाषित हो सकें। ऐसा करने से रोजगार के नये अवसर विकसित होंगे तथा अनुवाद के प्रति बाजार की अभिरुचि और माँग बढ़ेगी।

दुनिया के विकासशील देश आज जिन वजहों से भारत को आशाभरी निगाहों से देख रहे हैं, उनमें भाषाई संकट से मुक्ति की आकांक्षा और उसके निराकरण की तलाश भी एक बड़ी वजह है। हम अपने अनुवाद मॉडल से भी अपने उत्तरदायित्व और नेतृत्वकारी दावेदारी को सशक्त बना सकते हैं।

आज का भारत विकासशील समाज और देश की सर्वतोन्मुखी जरूरतों और सभी दिशाओं से मिलनेवाले ज्ञान-प्रकाश से आँखें चुरा नहीं सकता। विकसित समाज बनने के लिए ज्ञान से आँखें चार करना अहम होता है। इस काम में अनुवाद से गति मिलती है और सृजनशीलता भी परिपक्व होती है; क्योंकि अनुवाद नैसर्गिक रूप से चार आँखों का कर्म है। इस 'चार आँखों के कर्म' से आँखें चार कर विज्ञान और तकनीक के क्षेत्र में ज्ञानार्जन करते हुए नवाचार का मानस विकसित किया जा सकता है। फिर क्या नवाचारी मनवाले युवा भारत के लिए कोई सपना, सपना रह पायेगा ?

भारत, भाषा और अनुवाद

भूमण्डलीकरण और सूचनाक्रान्ति के आज के दौर में जब भारत विश्वशक्ति बनने का उद्यम कर रहा है, इसकी भाषाई विविधता में अनुवाद की आवश्यकता और महत्ता पर विचार करना एक तरह से भारत एवं विराट् भारतीय जन-गण की आकांक्षा और अँगड़ाई तथा उसकी दशा एवं दिशा को रेखांकित करना है। यह भारत की वास्तविकता को समग्रता में समझना तथा भारत की एकता और अखंडता में निहित समन्वय एवं सहकार को ध्यान में रखते हुए यहाँ की भाषाई विविधता और एकता को रेखांकित करना भी है। साथ ही इस कार्य में अनुवाद की सहायक भूमिका और महत्ता पर विचार करना भी है। इसलिए यह विषय बदलते भारत के परिप्रेक्ष्य में जितना प्रासंगिक है, उतना ही गहन और गम्भीर भी है।

भारत के बारे में सोचते हुए आमतौर पर यहाँ रहनेवाले 130 करोड़ भारतवासियों की विशाल जनसंख्या तथा उनके रूप-रंग, वेश-भूषा, तीज-त्योहार, धार्मिक आस्था, पूजा-पद्धति और सैकड़ों भाषाओं तथा बोलियों का बोध होता है। इसके साथ ही लगभग 33,000 वर्ग किलोमीटर में फैले अछोर हिमालय से हिन्द महासागर तक स्थित इसके समस्त प्रदेश, मैदानी और पर्वतीय अंचल, नदियाँ, झरने, प्राकृतिक सुषमा, मौसम, राष्ट्रध्वज, राष्ट्रगान एवं संविधान आदि हमारी आँखों के आगे झिलमिल करने लगते हैं। किन्तु, ये भारत के सामान्य और ऊपरी पहचान के प्रतीक हैं। भारत इन सबके अलावा किन्हीं गहरे अर्थों में, मानव सभ्यता का प्राचीनतम और श्रृंखलाबद्ध इतिहास एवं विश्व में ज्ञान तथा समरसता का सन्देशवाहक भावबोध भी है।

तथापि आज का भारत अपनी परम्परा और पहचान को बरकरार रखते हुए भी, पूरी तरह से बदलता हुआ भारत है। इस बदलाव में भारत की महान परम्परा और धरोहर के प्रति अभिमान और संरक्षण के भाव हैं तो बदलते समय की जरूरतों के अनुसार विज्ञान और प्रौद्योगिकी तथा अन्य आवश्यक ज्ञान और विषय को साधने की आकांक्षा और अकुलाहट भी है। भारत का जन-मन आज 'कर लो दुनिया मुट्ठी में' के भाव से अनुप्राणित प्रगति और विकास के शिखर पर पहुँचने कें जोश और जज्बे से भरा हुआ है। उन्नत शिक्षा और कौशल विकास के जरिये भारत को ज्ञान सम्पन्न विकसित समाज में बदलने का प्रयास और ज्वार आज सभी भारतवासियों में हिलोरे ले रहा है। भारत आज संसार का सबसे नौजवान देश तथा सबसे तेज गति से विकसित हो रही अर्थव्यवस्था है। इसके शिक्षा केन्द्र पारम्परिक विद्यापीठ की भूमिका से आगे बढ़कर समय की माँग के अनुरूप उन्नत ज्ञान केन्द्र बन रहे हैं।

अवसर के अभाव में कोई प्रतिभा विकसित होने से वंचित न रह जाये, इस उद्देश्य से देश के हर प्रतिनिधि अंचल में भारतीय प्रौद्योगिकी संस्थान (IIT), राष्ट्रीय प्रौद्योगिकी संस्थान (NIT) और भारतीय प्रबन्ध संस्थान (IIM) खोले गये हैं। भारत में ज्ञान और कौशल विकास के इस अभियान में निजी कम्पनियाँ भी भागीदार बन रही हैं। इन ज्ञान केन्द्रों की नवोन्मेषी शिक्षा का ही कमाल है कि यहाँ से निकलने वाले नौजवान अब 'नौकरी के याचक नहीं, बल्कि नौकरी के दाता' (जॉब गिवर्स, नॉट जॉब सीकर्स बन रहे हैं। देश में उन्नत स्वास्थ्य सेवा को सुलभ बनाने की दिशा में भी उल्लेखनीय प्रगति हुई है। राजधानी दिल्ली से बाहर, भारत के महत्त्वपूर्ण परिधि-स्थलों और दूरदराज के शहरों में अखिल भारतीय आयुर्विज्ञान संस्थान (AIIMS) खोले जा रहे हैं। आधुनिक सुविधा एवं तकनीक से युक्त अस्पताल आज देश के लगभग सभी हिस्सों में, बड़े और मझोले नगरों में विद्यमान हैं। इससे उन्नत चिकित्सा सुविधाएँ लगभग सभी देशवासियों की पहुँच में आ गयी हैं। इस दिशा में निजी क्षेत्र की भागीदारी और पूँजी निवेश को नजरअंदाज नहीं किया जा सकता। इसके साथ ही पर्यावरण संरक्षण, प्राकृतिक संसाधनों का समुचित उपयोग, जल संरक्षण और नदियों का उद्धार, कृषि उपज में बढ़ोतरी, फल-सब्जी-दूध आदि के उत्पादन में

आत्म-निर्भरता, भू-गर्भीय एवं सामुद्रिक सम्पदा का दोहन तथा सड़क, परिवहन, ऊर्जा, औद्योगिक उत्पादन, रक्षा, अन्तरिक्ष आदि क्षेत्रों में ढाँचागत विकास एवं अनुसन्धान इस बात के प्रमाण हैं कि आजकल भारत को हर दृष्टि से विकसित एवं समृद्ध बनाने की चाह और चेष्टा परवान पर है।

आज का बदलता भारत असल में भविष्य का विकसित और समर्थ भारत है, जिसमें अपनी परम्परा और सभ्यतागत विशेषताओं का अभिमान तो है, मगर भविष्य में महाशक्ति बनने का अहंकार रंच मात्र भी नहीं है। इस बदलते भारत के विकास में इसके सक्षम तथा ज्ञान सम्पन्न मानव संसाधन एवं इसकी भाषा की भूमिका बेहद महत्त्वपूर्ण है। भारत में बदलाव और विकास के आज जितने भी प्रयत्न हो रहे हैं, वे सभी अपने-अपने क्षेत्रों में और संकल्पनाओं में भाषा में अंकित हो रहे हैं और भाषाई संवाद के द्वारा सम्भव हो रहे हैं। चाहे औद्योगिक उत्पादन हो या आधारभूत ढांचे का निर्माण, शिक्षा, स्वास्थ्य और संचार हो या तकनीकी संजाल और विनिर्माण, सभी क्षेत्रों में आत्मनिर्भर बनने का उद्यम, सुसंगत नीति-निर्माण और उन्हें व्यावहारिक धरातल पर साकार करने जैसे सारे कार्यों का दस्तावेजीकरण भाषा में किये जा रहे हैं। केन्द्र सरकार के स्तर पर यह भाषा अंग्रेजी और हिन्दी है तो राज्य सरकारों के स्तर पर राज्यों की कामकाजी भाषाएँ। जाहिर है कि भारत में विकास के आज जितने भी उद्यम हो रहे हैं, उनमें भाषा की भूमिका अग्रणी और महत्त्वपूर्ण है।

भाषा अभिव्यक्ति का माध्यम होती है। विचारों का आदान-प्रदान और ज्ञान का प्रसार भाषा के द्वारा ही सम्भव होता है। मनुष्य का बोलना और अपने मन के भावों को व्यक्त करना बुनियादी तौर पर स्वान्तः सुखाय नहीं, बल्कि मनोभावों के आदान-प्रदान, विचारों के सम्प्रेषण तथा अन्तर्मन की उलझनों के निवारण के लिए होता है। स्वाभाविक है कि भाषा व्यक्तिगत प्रयास से विकसित होकर भी समाज में सम्प्रेषण तथा उन्नयन का माध्यम बनती है। इसलिए भाषा स्वभाव से सामाजिक और संवादी होती है। इसी के बल पर भाषा संस्कृति की संवाहक बनती है। इसलिए भाषा को अप्रतिम मानवीय आविष्कार तथा सामाजिक धरोहर कहा जाता है।

मनुष्य अपने विचार और अनुभव भाषा के माध्यम से ही व्यक्त करता है। संसार के सारे कार्य-व्यापार भाषा के द्वारा ही सम्पन्न होते हैं। सभ्यता

के विकास में भाषा मानव संस्कृति की संवाहक रही है। संस्कृति, लोक-जीवन, आचार-विचार, रहन-सहन, बोली-वाणी, वेश-भूषा, खान-पान, भौगोलिक विशिष्टता, पर्यावरण, उत्पादन सम्बन्ध तथा मानव सभ्यता का संश्लिष्ट रूप और अनुभूति होती है। संस्कृति मनुष्य का आभासित गुण होती है। संस्कृति की संवाहक होने के नाते भाषा में समस्त सांस्कृतिक विशेषताएँ सन्निहित और अभिरक्षित होती हैं। जैसा समाज होता है, वैसी भाषा होती है।

भाषा और समाज का सम्बन्ध सरल नहीं होता। यह सम्बन्ध द्वन्द्वात्मक होता है। विकासमान समाज की अभिव्यक्ति का माध्यम बनकर भाषा भी विकसित होती है, जबकि समाज के पिछड़ेपन की मार सबसे अधिक भाषा को ही झेलनी पड़ती है। कभी-कभी भाषा व्यक्ति के उन्नयन के साथ-साथ समाज के उन्नयन का कारक भी बनती है। सभ्यता के विकास के साथ मनुष्य और भाषा का सम्बन्ध अटूट होता जाता है।

भाषा सम्बन्धी विभिन्न अध्ययनों का निष्कर्ष है कि भूमण्डलीकरण और सूचनाक्रान्ति के चलते भाषाओं के व्यापक संसार में भी उपयोगितावाद और उपभोक्तावाद की पैठ हुई है। इसके चलते छोटी भाषाएँ आज प्रभावहीन हो रही हैं। फलतः उनका देश निकाला हो रहा है, जबकि, बड़ी भाषाएँ दिन-प्रतिदिन व्यापक और प्रभावशाली बनती जा रही हैं। आज लगभग हर महीने दुनिया के किसी-न-किसी हिस्से में वहाँ की कोई-न-कोई भाषा अथवा बोली देशकाल की जरूरतों को पूरा करने में पिछड़ जाने के कारण उपयोग से बाहर होकर विलोप का शिकार हो रही है। संयुक्त राष्ट्र संघ की शैक्षिक, वैज्ञानिक तथा सांस्कृतिक संस्था 'यूनेस्को' की भाषाई रिपोर्ट के अनुसार मौजूदा समय में लगभग 06 हजार भाषाएँ और बोलियाँ मनुष्य-समाज द्वारा व्यवहार में लायी जा रही हैं। इनमें से सिर्फ 25% भाषाओं के लिए ही लिपि का प्रयोग होता है। इनमें से 25% भाषाएँ और बोलियाँ नयी पीढ़ी को नहीं सिखायी जातीं। भाषाओं और बोलियों के बहिष्कार का यह सिलसिला अगर जारी रहा तो आनेवाले 100 वर्षों में संसार की 75% भाषाएँ विलुप्त हो जाएँगी। कहना न होगा कि भाषाओं का यह विलोप केवल भाषाओं का विलोप नहीं होगा। चूँकि भाषा और बोली में उसके वक्ता समाज की संस्कृति सन्निहित तथा संरक्षित रहती है, अतः इतनी बड़ी संख्या में भाषाओं

और बोलियों का विलोप होते ही, उनमें अभिव्यंजित वक्ता समाज की अपार सांस्कृतिक विशिष्टताओं का भी विलोप हो जायेगा। निश्चय ही वह स्थिति सकल मनुष्य समाज के लिए सांस्कृतिक दरिद्रता की होगी।

भूमण्डलीकरण और सूचनाक्रान्ति के चलते आजकल भाषाओं के विलोप की गति और तेज हुई है। संसार में कुछ उन्नत भाषाओं का बोल-बाला बढ़ा है तो अधिकांश भाषाएँ और बोलियाँ आदमी की अपेक्षा और उम्मीद पर खरा नहीं उतरने के चलते उपेक्षित और उपयोग से बहिष्कृत हो रही हैं। संसार की यह भाषाई स्थिति मनुष्य समाज की विविधता और बहुलता के लिए किसी ग्रहण से कम नहीं है। दुनिया में गिनी-चुनी भाषाओं का बोल-बाला और बाकी भाषाओं तथा बोलियों का नाश व्यापक, बहुल और लोकतांत्रिक दुनिया के लिए मंगलकारी बिल्कुल नहीं है।

भाषाई विलोप की जद में भारत की भाषाएँ और बोलियाँ भी हैं। सन् 1961 की जनगणना-रिपोर्ट में भारत में 1,652 भाषाओं और बोलियों का उल्लेख है। किन्तु आज मात्र 114 भाषाओं और 216 बोलियों की ही बात होती है। बिहार, झारखण्ड, पश्चिम बंगाल, ओडिशा, गुजरात तथा अण्डमान एवं निकोबार द्वीप समूहों में बोली जानेवाली 'महाली', 'हो', 'कुई', 'पहाड़िया', 'भोटिया', 'बाथुडी', 'धोडीआ', 'गोरमती', 'टोटो', 'सेण्टिनल' जैसी भाषाओं/बोलियों को बोलनेवाले महज मुट्ठीभर लोग ही अब बचे हैं। भारतीय भाषा संस्थान, मैसूर में भी 325 भाषाओं और बोलियों का ही लिखित या ध्वन्यांकित रिकॉर्ड है। यह ठीक है कि करोड़ों लोगों द्वारा बोली जानेवाली हिन्दी के विलोप का खतरा नहीं है। ब्रिटिश लैंग्वेज कन्स्ल्टेन्सी कम्पनी मिल्टन केंस के निदेशक डेविड ग्रैडल के अनुसार हिन्दी आनेवाले 40 से 50 वर्षों में दुनिया की सबसे ज्यादा बोली जाने वाली भाषा बन जायेगी। परन्तु बोली जाने वाली भाषा यदि ज्ञान और अनुसन्धान की भाषा नहीं बने तो इससे बहुत फर्क नहीं पड़ेगा। भूमण्डलीकरण और सूचनाक्रान्ति के मौजूदा समय में किसी भी भाषा को सुरक्षित रहने के लिए उसे संवाद से आगे बढ़कर ज्ञान और विज्ञान की भाषा बननी होगी।

वैसे हिन्दी सहित तमाम भारतीय भाषाओं के ज्ञान और विज्ञान की भाषा बनने की राह में जो सबसे बड़ी बाधा है, वह है अंग्रेजी। भारत में अंग्रेजी

के व्यापक प्रचलन तथा उसमें उपलब्ध आधुनिक ज्ञान और विज्ञान के चलते हिन्दी तथा अन्य भारतीय भाषाओं का प्रयोग विज्ञान, प्रौद्योगिकी तथा अनुसन्धान के क्षेत्र में नहीं होता है। उलटे, हिन्दी की व्यापक पहुँच के कारण उसके प्रति भारत के अन्य भाषाभाषियों में किंचित् वैमनस्य का भाव भी पाया जाता है। इससे भारत की भाषाई समरसता को आघात लगती है। इससे हमारा आपसी भाईचारा चोटिल होता है। इससे भारत की एकता और अखण्डता भी आहत होती है और विकास की गति अवरुद्ध होती है। इस लिहाज से भारत में हिन्दी तथा तमिल, तेलुगु, कन्नड़, मलयालम, बांग्ला, असमी, ओड़िया, मराठी, गुजराती आदि भाषाओं के बीच आपसी मेल-जोल और आदान-प्रदान का सम्बन्ध बढ़ाना, साथ ही इन्हें आधुनिक ज्ञान, विज्ञान और अनुसन्धान का माध्यम बनाना बहुत जरूरी है ताकि भाषाई वैमनस्य देश के विकास में आड़े न आए।

किसी भी देश के विकास में नवोन्मेष और अनुसन्धान तथा तकनीकी विकास की भूमिका सर्वोपरि होती है। मौलिक और नवोन्मेषी कार्य अपनी भाषा में ही साकार और सम्भव होते हैं। परायी भाषा आदमी को नकलची तथा पिछलग्गू बना देती है। देश के विकास में भाषा की भूमिका इन्हीं अर्थों में रचनात्मक तथा महत्त्वपूर्ण होती है। इसी के मद्देनज़र भाषाविदों और शिक्षाविदों द्वारा बच्चों को प्राथमिक शिक्षा मातृभाषा के माध्यम से दिए जाने पर जोर दिया जाता है।

भाषा और समाज परस्पर निर्भर तथा पूरक होते हैं। बेशक भाषा सामाजिक विकास की एक निश्चित अवस्था में ही अपने सुगठित और विकसित रूप में सुलभ होती है। किन्तु विकसित होने पर भाषा, विचारों, अवधारणाओं एवं योजनाओं का माध्यम बनकर समाज के द्रुत विकास में सहायक बनती है। दूसरे शब्दों में कहें तो समाज के विकास में शिक्षा, स्वास्थ्य, सुरक्षा, औद्योगिक उत्पादन, खाद्यान्न में आत्मनिर्भरता, ढाँचागत विकास, सूचना और संचार आदि की तरह भाषा की भी महत्त्वपूर्ण भूमिका होती है। एक स्तर पर भाषा सामाजिक सद्भाव और समरसता का माध्यम बनकर समाज को प्रगति के पथ पर अग्रसर करती है, वही दूसरे स्तर पर अपने वक्ता समाज की आशा और आकांक्षा को मुखरित करते हुए समाज में जागरण का वाहक बनती है। भाषा किसी आक्रमण, उथल-पुथल और

आपातकाल में जन-गण के बीच आपसी संवाद और अपराजेय संघर्ष का शक्तिशाली शस्त्र बनकर समाज को संकट से उबारने का काम भी करती है।

भारतीय समाज की प्रगति में, भारत के आवाम की मेहनत एवं मशक्कत के साथ-साथ भाषाई प्रेम तथा देशाभिमान का भाव और विकसित एवं आत्मनिर्भर होने की आकांक्षा सदैव उत्प्रेरक रहे हैं। भारत की भौगोलिक, भाषाई तथा सांस्कृतिक विविधता के बावजूद भारतीय जन-मन में एकता, पारस्परिक समरसता और सामंजस्य की जड़ें गहरी रही हैं। वाणिज्य तथा व्यापार, शिक्षा तथा रोजगार और धार्मिक आस्था के चलते सम्पूर्ण भारतीय समाज शुरू से ही एक और अखंड रहा है। परस्पर आदान-प्रदान तथा आवाजाही का रिश्ता पूरे भारत में विद्यमान रहा है। इसमें प्राचीन ज्ञान और आधुनिक विज्ञान एवं उद्योग का अवदान समान रूप से उल्लेखनीय है।

उत्तर भारतीय भाषाओं और दक्षिण की द्रविड़ भाषाओं के बीच समन्वय तथा आदान-प्रदान का रिश्ता पुरातन काल से मिलता है। आज यह रिश्ता आधुनिक ज्ञान और विज्ञान से लैस होने की चाह में दिनानुदिन मजबूत तथा गहरा हो रहा है। इसमें अनुवाद की बड़ी भूमिका है। हिन्दी तथा द्रविड़ भाषाओं के बीच ज्ञान और विचारों का आदान-प्रदान कभी सीधे-सीधे तो कभी अंग्रेजी के सहारे अब पहले से ज्यादा हो रहा है। हिन्दी, मराठी, गुजराती, बाँग्ला, उड़िया, असमी आदि भाषाओं के बीच आदान-प्रदान में भी अनुवाद की भूमिका व्यापक हो रही है। रोजगार तथा सूचना और संचार क्रान्ति के चलते सुदूर प्रान्तों के रहवासियों में आवाजाही पहले से काफी बढ़ी है। परस्पर मेलजोल बढ़ने से भाषाई और सांस्कृतिक विभेद मिट रहे हैं। विविधधर्मी और विविधवर्णी भारतीय मानस का क्षितिज व्यापक हो रहा है। ज्ञानशक्ति के आगे भाषा की दीवार टूट रही है। विकास तथा उत्थान की आकांक्षा में सम्पूर्ण भारत एक और अखण्ड बन रहा है। इस बदलाव और विकास में अनुवाद की सहायक भूमिका प्रभावित करती है। साहित्य की 'बेस्ट सेलर्स' पुस्तकों की राष्ट्रव्यापी पहुँच अनुवाद से सम्भव हो रही है।

इसी तरह से फिल्मों तथा टेलीविजन-धारावाहिकों की देशव्यापी लोकप्रियता में अनुवाद का महत्त्व साफ-साफ देखा जा सकता है। रामायण, महाभारत, 'तिरुकुरल' और 'वचन साहित्य' आदि की भारतव्यापी लोकप्रियता तथा

फिल्मी सितारों की राष्ट्रव्यापी ख्याति के पीछे सम्पूर्ण भारतीय जनगण में व्याप्त विविधता में एकता की भावना के प्रति नतमस्तक होना होगा। ताजा उदाहरण 'कौन बनेगा करोड़पति' धारावाहिक तथा 'बाहुबली' शृंखला की फिल्मों की राष्ट्रव्यापी लोकप्रियता है। इन सबके पीछे निहित अनुवाद की भूमिका से इनकार नहीं किया जा सकता।

तथापि 21वीं सदी को भारत की सदी बनाने के लिए तथा सूचनाक्रान्ति के आज के जमाने में आसमान छू रही भारतीय जन-गण की आशा एवं आकांक्षा को फलीभूत करने के लिए बड़ा जरूरी है कि भारत मन, वचन और कर्म से एक तथा अखंड हो। पूरे भारत की एक भावधारा हो तथा राज्यों के बीच भावनात्मक एवं भाषाई मेल-जोल और वैचारिक आदान-प्रदान का मजबूत रिश्ता हो। जाहिर है कि यह काम अनुवाद के माध्यम से ही हो सकता है।

भारत जैसे बहुभाषी देश में प्रादेशिक मेलजोल और भाषाई सौहार्द कायम करने में तथा विचारों के आदान-प्रदान में अनुवाद ने शुरू से ही महत्तर भूमिका अदा की है। आज जरूरत के लिहाज से अनुवाद की भूमिका और बड़ी तथा व्यापक हो गयी है, जबकि हमारा मौजूदा अनुवाद-तन्त्र जरूरत के मद्देनजर नाकाफी है। जाहिर है कि हमें अपनी इस सीमा को शक्ति में रूपान्तरित करना होगा। हमें अपने अनुवाद तन्त्र को सशक्त और प्रभावी बनाना होगा। अंग्रेजी पर निर्भरता कम होगी तो हमारे अंदर नवोन्मेष या नवोद्भावना की प्रवृत्ति बलवती होगी। इससे भारतीय जन-गण के बीच अपनी देसी भाषाओं में उपलब्ध ज्ञान और साहित्य से परिचित होने का सिलसिला प्रगाढ़ और व्यापक होगा। एक-दूसरे के प्रति समझदारी और अपनापन का भाव भी गहरा होगा। समस्त देशवासियों को एक-दूसरे के ज्ञान का लाभ मिलने लगेगा तो अन्ततः राष्ट्रीय एकता और अखण्डता की भावना मजबूत होगी। इससे आगे चलकर हमारा परम्परागत समाज ज्ञान समाज में रूपान्तरित होगा। किसी भी समाज के विकसित होने के यही सोपान हैं।

भारत में अनुवाद का प्रभावी और सक्षम ढाँचा अंग्रेजी में उपलब्ध ज्ञान तथा शोध साहित्य से परिचित होने और उससे लाभान्वित होने के लिए भी जरूरी है। एक अनुमान के अनुसार अंग्रेजी में लगभग 2.5 लाख पृष्ठों का ज्ञान और शोध साहित्य प्रतिवर्ष प्रकाशित होता है। इनमें से लगभग 50 हजार पृष्ठों में निहित ज्ञान और शोध निष्कर्षों से भारत जैसे विकासमान

समाज को तत्काल और त्वरित तौर पर परिचित होते रहने की जरूरत है। यह जरूरत अनुवाद के माध्यम से ही पूरा हो सकती है।

वैसे भी, अनुवाद अपने अभिप्राय तथा उद्देश्य में ज्ञान का प्रसार करता है। इसलिए अनुवाद जैसे आधुनिक विषय की उपेक्षा कर भारत जैसे बहुभाषी देश में स्वस्थ और समुन्नत ज्ञान समाज का निर्माण नहीं हो सकता। अनुवाद बहुभाषा-भाषी समाजों के बीच विचारों के आदान-प्रदान तथा आपसी संवाद एवं सम्पर्क का सर्वाधिक उपयुक्त और समर्थ सेतु होता है। भारत में अनुवाद के विकास से न केवल आपसी विश्वास और भाईचारे का भाव मजबूत होगा, बल्कि बड़े पैमाने पर रोजगार के अवसर भी पैदा होंगे। देश की शिक्षा-व्यवस्था में 'त्रिभाषा सूत्र' को लागू करते हुए इस लक्ष्य को प्राप्त किया जा सकता है।

अनुवाद स्वभाव से संवादी होता है। संवाद अपरिचय का प्रतिकार करते हुए मेलजोल को बढ़ावा देता है। संवाद की यह भूमिका रचनात्मक होती है। अनुवाद के प्रसंग में सोचते हुए हमें उसकी रचनात्मक भूमिका को हमेशा ध्यान में रखना होगा। अनुवाद दो भाषाओं के बीच होता है और किसी भाषिक रचना को दूसरी भाषा में रूपान्तरण के जरिये नवजीवन प्रदान करता है। इसलिए अनुवाद को रचना की अनुरचना अथवा सृजन का अनुसृजन कहा जाता है।

भारत के विकास के लिए या कहें कि सक्षम, समर्थ तथा समृद्ध भारत के निर्माण के लिए देश में भाषाई मेलजोल को बढ़ावा देना और अनुवाद को सरल, सहज तथा रचनात्मक बनाना बहुत जरूरी है। निश्चय ही यह दूरन्देशी का विराट् कार्य है। इसमें शब्दानुवाद अथवा पारम्परिक रीति से हो रहे अनुवाद से काम नहीं चलेगा। अनुवाद को मशीन साधित बनाते हुए उसका व्यापक संजाल (नेटवर्क) खड़ा करना होगा, जिसमें अंग्रेजी से हिन्दी में तथा सभी प्रादेशिक भाषाओं से हिन्दी में एवं उनमें आपस में अनुवाद की त्वरित और स्वयंसिद्ध व्यवस्था निर्मित करनी होगी। इस व्यवस्था को इतना सक्षम तथा समर्थ बनाना होगा, जिससे 'रिअल टाइम ट्रान्सलेशन' प्राप्त किया जा सके।

भारत के नये अवतार का यह अभूतपूर्व कार्य आधे-अधूरे मन और आधी-अधूरी तैयारी से कदापि सम्भव नहीं है। इसके लिए व्यापक तैयारी

की जरूरत है। सभी प्रमुख भारतीय भाषाओं से विद्वानों और अनुवाद में रूचि रखने वालों का एक समर्थ कार्यबल तैयार करना होगा। इस कार्य में वैज्ञानिकों, भाषाविज्ञानियों और कम्प्यूटर विशेषज्ञों की भी अहम् भूमिका होगी। कॉरपोरेट जगत् को भी जोड़ना होगा। तभी हमारी अनुवाद-व्यवस्था सच्चे अर्थों में समर्थ, स्वयंसिद्ध और समयसिद्ध बन पायेगी। कहना न होगा कि यह अनुवाद-व्यवस्था भारत के विकास के लिए जितनी उत्पादक होगी, उतनी ही रोजगारोन्मुख भी।

याद रहे, भारतीय भाषाओं के बीच सीधे संवाद से देश की भावात्मक कायापलट होगी। भारत में भाषाई समरसता जैसे-जैसे प्रगाढ़ होगी, अनुवाद लोकप्रिय तथा प्रतिष्ठा का कार्य बनता जायेगा। भारत को एक विकसित, समृद्ध तथा आत्मनिर्भर ज्ञान समाज में रूपान्तरित करने के लिए आधुनिक विज्ञान और तकनीक को साधने के साथ-साथ भाषाई सद्भाव तथा उन्नत अनुवाद-तन्त्र कायम करना आज बहुत ही जरूरी और अनिवार्य है। इससे कन्नी काटना विराट् भारतीय जन-गण की आशा तथा आकांक्षा के साथ छल और भारत के विकास के लिए आत्मघाती होगा।

●●●